テレワーク

コロナ禍における政労使の取組

レポート **テレワークの労働法政策**

JILPT 労働政策研究所長　濱口 桂一郎

レポート **テレワークの現状と今後**

新型コロナウイルス感染拡大に伴うテレワーク経験を通じ、企業労使は何を学び、どういった対応を行いながら、今後の働き方を追求しようとしているのか

JILPT 新型コロナウイルスによる雇用・就業への影響等に関する調査、分析 PT
ウィズコロナ・ポストコロナの働き方に関するヒアリング調査班

レポート

本レポートは、2021年3月17日に開催した東京労働大学講座特別講座「テレワークの労働法政策」の講義録を編集・整理したものです。

テレワークの労働法政策

JILPT 労働政策研究所長　濱口 桂一郎

我が国のテレワークをめぐる法制度や政策の歴史的な展開について振り返るとともに、2021年3月に公表された新たなテレワークガイドライン策定までの経過とその内容を概観します。

また、EUと英米独仏4か国のテレワークの実施状況、法政策に関する最近の動向を紹介します。

JILPTでは、「新型コロナウイルス感染拡大の雇用・就業への影響に関する研究プロジェクト」の一環として、EU及び英米独仏におけるテレワークに関する制度、実態等の把握・分析を進めており、その成果は「労働政策研究報告書」として刊行予定です。

はじめに　在宅勤務の急拡大

みなさん、こんにちは。年度末の東京労働大学講座特別講座の2回目です。1回目はフリーランスの労働法政策について取り上げましたが、2回目の今日はテレワークについてお話をしていきたいと思います。

どちらも、今回のコロナ禍の少し前から非常に注目されていた新しい働き方ですが、とりわけ今回のコロナ禍の中で、その在り方をめぐって熱心に議論が交わされるようになっています。

今日はこのテレワークについて、できるだけ幅広く視野を広げ、この日本においてテレワークをめぐるさまざまな政策や法制度がどのように移り変わってきたかという観点、そして諸外国においてテレワークというものがどのように取り組まれてきたかという観点の両面から、2時間にわたってお話をしていきたいと思っております。

まず、やはり昨年初めからのコロナ禍の中で、緊急事態宣言によってステイホームが求められ、テレワークの中でも在宅勤務というものが急拡大をいたしました。これは、グラフを見ていただいたほうが分かりやすいと思います。

グラフは2つあります。どちらもJILPTがこのコロナ禍の中でやったパネル調査です。**図1**は企業調査で、**図2**は個人調査ですが、どちらもテレワークの実施割合を示しています[1]。

図1の企業調査の方は、その企業におけるテレワークの実施率を聞いています。社員のどれくらいがどの程度のテレワークをやっているかということは捨象して、企業として各月にテレワークを実施している割合を聞いているのです。そうすると、今回のコロナ禍が始まった2月は6.4%しかテレワークを実施していなかったのが、急速に蔓延していった3月には23.0%になり、緊急事態宣言のさなかの4月や5月には、それぞれ54.4%、54.6%と、もう5割を超える水準に達しています。ところがこれがピークで、緊急事態宣言が解除されると6月が43.6%、7月が37.6%、8月が35.4%、9月が34.5%と徐々に減ってきています。ただコロナ禍以前に比べるとやっているところはある程度の数で推移しているということになります。

図2の個人調査の方は、ちょっと非常に見にくいかもしれませんが、労働者個人に、各週に週何日テレワークをやったかを聞いています。上の方の黒い（色の濃い）ところが週5日以上テレワークしていたという回答なので、おおむねフルリモートワークしていたということになります。そこから下に行くに従ってだんだんグラフの色が薄くなるにつれて、週4日、週3日、週1～2日と減っていって、一番下の薄いところがテレワークを全くしていない、全日出勤していた人の割合になります。

これを御覧になれば分かるように、やはりコロナ禍の緊急事態宣言の真っ盛りのときには、フルリモートワークも、あるいはパーシャルなリモートワークも非常に増えました。それが、

図1　在宅勤務（テレワーク）実施率の推移（パネルデータ）

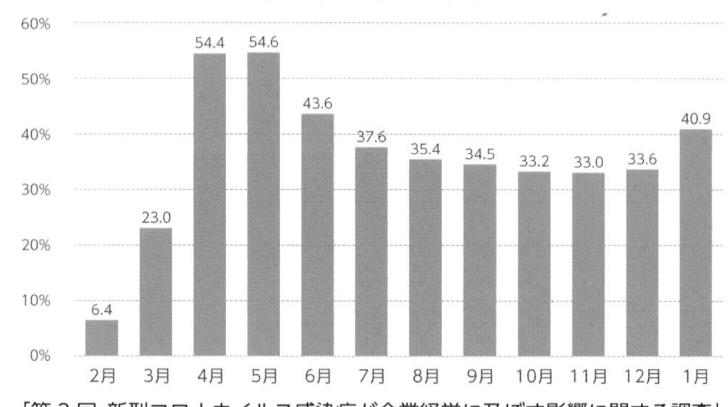

「第3回 新型コロナウイルス感染症が企業経営に及ぼす影響に関する調査」（2021年4月30日）

[1] 3月の特別講座では、企業調査は2020年12月発表の第2回調査、個人調査は2021年1月発表の第3回調査の数値を示しましたが、ブックレットではいずれについても2021年4月に発表された第3回企業調査と第4回個人調査のデータを示しています。

図2　在宅勤務・テレワークの実施日数の変化

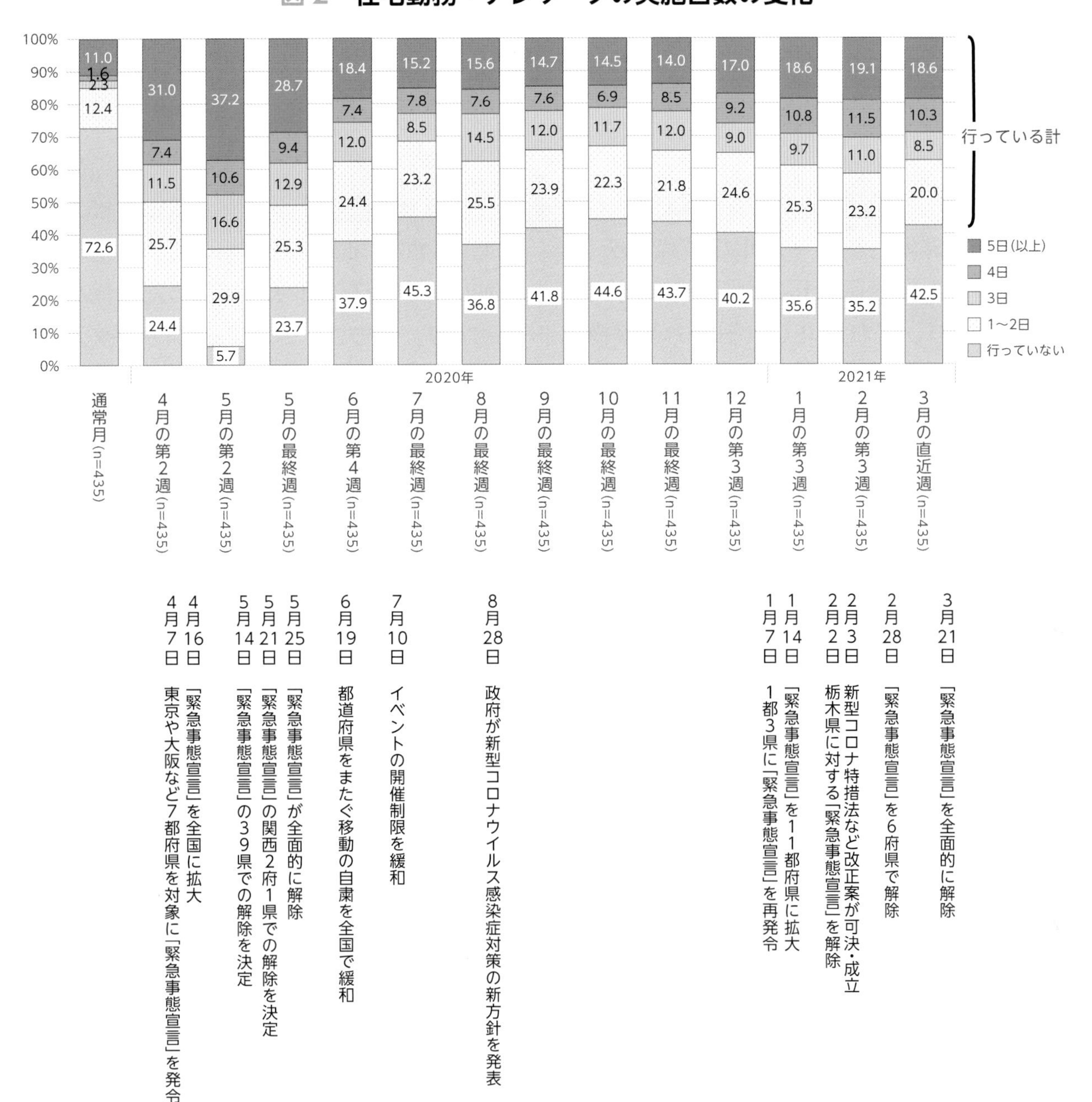

「新型コロナウイルス感染拡大の仕事や生活への影響に関する調査（JILPT 第4回）」（2021年4月30日）

その後徐々にやっぱり戻ってきて、ここ数カ月ぐらいは定常状態になっているということが分かると思います。

ただ、いずれにしても、今回のコロナ禍の中で、それ以前から議論はあったとはいいながら、非常に全国民的なレベルで、テレワークをめぐる議論が沸騰しました。その一つの帰結が、昨日の労政審でほぼ了解を受けた、テレワークについての新しいガイドラインということになります。ただ、それでもやはりなお労働時間管理をめぐる問題、労働法上の問題は、幾つか未解決のものが残っているのではないかと思っております。

ということで、以下まずはテレワークの概観ということで、主として日本に注目をして、テレワークをめぐる政策が、どういうふうに展開してきたかということを見てまいりたいと思います。

Ⅰ テレワークの概観

1　テレワークの進化

日本を中心にして見ていくと言いましたけれども、まずは非常にグローバルな視点でテレワークの歴史を時代区分したものを御紹介したいと思います。これはILO（国際労働機構）が、今から1年ちょっと前になりますが、コロナ禍が発生する直前の2019年11月に刊行した『21世紀のテレワーク：進化的パースペクティブ（Telework in the 21st century: An evolutionary perspective)』という報告書です。

これは、総論の後は、ヨーロッパ、日本、アメリカ、インド、アルゼンチンといった諸国のテレワークの状況についてのリポートがまとめられている本なのですけれども、その総論のところで、テレワークの進化（エヴォリューション）という観点から、こんなふうに進化してきたのだということを、世代（ジェネレーション）を追って解説しております。この歴史認識がなかなか面白いと思いましたので、ちょっと御紹介したいと思います。

このILOの報告書によると、第1世代というのはホームオフィスの時代です。これは1980年代から1990年代の頃ですね。自宅で電話とかファクスを利用して、いわゆるテレワークをしていた時代です。当時はむしろテレコミューティングという言い方の方が一般的でした。これは、自宅にいて通勤しなくていいという点に着目した表現で、テレコミューティングという言い方が普通だったようであります。当時のテレコミューティング、ホームオフィス時代のテレワークを非常に輝かしく描いた本が、これはもう今や古典ですけれども、アルビン・トフラーの『第三の波』という本であります。

その後、1990年代半ばから2000年代にかけての時代を、このILOの報告書はモバイルオフィスの時代というふうに呼んでいます。モバイルオフィスというのはどういうことかというと、自宅で電話やファクスを使っていた時代から一歩進化して、ラップトップコンピュータとかあるいは携帯電話を利用して、自宅以外でもテレワークができるようになった時代だということです。でもこれはまだ第2世代なのですね。

そこからさらに進化して、今や第3世代だといっているのが、2010年代から今までの時代なのですけれども、これをバーチャルオフィスの時代と呼んでいます。何が変わったかというと、電子機器がラップトップコンピュータとか携帯電話から、スマートフォンやタブレットに進化したというのです。大した変化ではないのではないかと思われるかもしれませんが、い

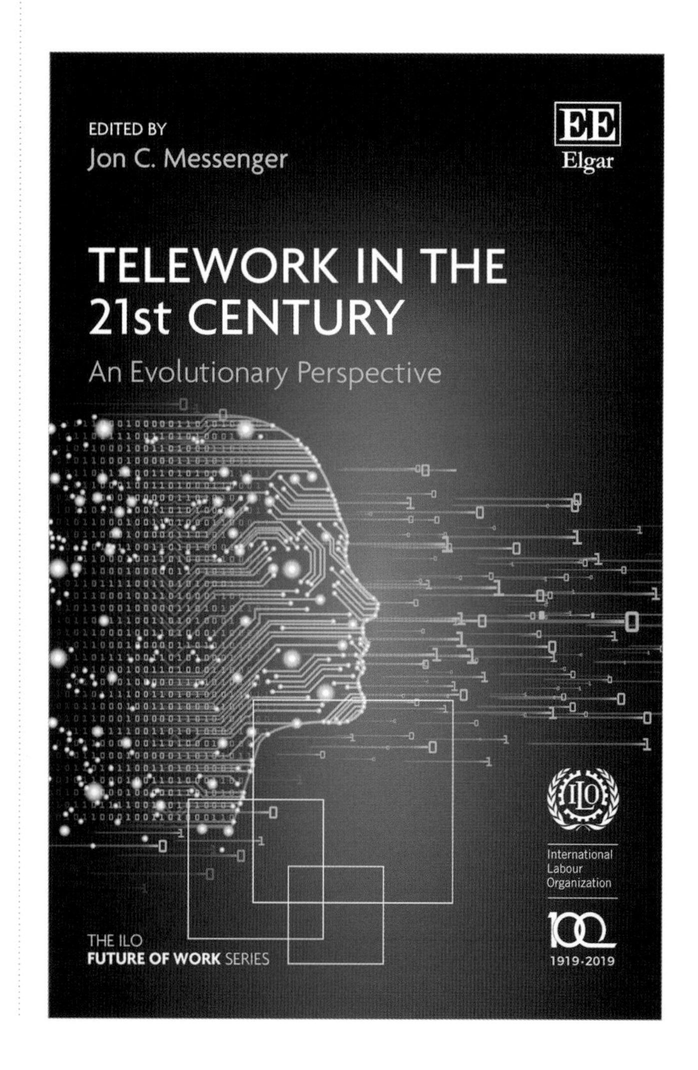

やいやそんなことはないのだよとILOは言います。これによって、情報処理と通信が完全に一体化し、そして情報はクラウド上で常時アクセス可能になったというのです。これによって、いわば、いつでもどこでも、情報にアクセスし、通信し、仕事をすることができる時代になったのだというのです。

この「いつでもどこでも働く（working anytime anywhere)」というのは、まさに第3世代のバーチャルオフィスの時代を象徴するフレーズだと思います。後のEUのテレワーク政策のところで取り上げますが、このILOとEUの労働研究機構（正式名称は欧州生活労働条件改善財団。日本におけるJILPTみたいなものです。）が共同で研究した成果を報告書にまとめておりまして、その報告書のタイトルが、『Working anytime anywhere』なのです。いつでもどこでも働くというわけです。いつでもどこでも働くって、考え方によっては何というブラック企業だと思うかもしれませんが、いつでもどこでもスマートフォンとタブレットを持ってクラウドにアクセスすれば、仕事ができるようになったという意味なのですね。これこそが第3世代のバーチャルオフィスの時代だというのが、1年ちょっと前、コロナの直前の時代認識だったのです。

2　日本におけるテレワーク推進政策

以上が、全体的なテレワークについての時代認識ということになるのですが、日本もこの間、先進国として、テレワークの進化の先端を構成する国の一環であったわけであります。

では、日本において、政府がテレワークの推進政策というのを始めたのがいつぐらいかといいますと、これもいろんな考え方があるのですけれども、大体今からもう四半世紀前の1996年に、当時の労働省と郵政省がテレワーク推進会議というのを設置して、ここが最終報告を出しておりますが、これが政府の公式な文書として、テレワークというものを取り上げた最初のものになるのではないかと思われます。

その中では、労働時間管理について、通常の労働時間管理でもできるけれども、業務によってはみなし労働時間制も可能だとか、あるいは検討事項として今後テレワークといった新しい勤務形態に対応した労働時間制度を、検討する必要もあるかもしれないということを言っております。

また、テレワークの推進策の一環として、1999年には日本サテライトオフィス協会に委託して、テレワーク導入マニュアルというのを作成しています。これが大体20年以上前の状況です。

3　事業場外労働制の経緯

ここで、このテレワーク、在宅勤務の労働時間規制という観点で、非常に重要な位置を占めております、事業場外労働のみなし労働時間制というのがありますが、この制度の経緯を簡単にお話ししたいと思います。

これは、実は非常に歴史は古いのですね。終戦直後、労働基準法が施行された1947年の段階から、法律上の規定ではないのですが、省令上にこのみなし労働時間制というのが入っておりました。具体的には出張とか取材といった事業場外労働の場合で、労働時間を算定し難いときには、通常労働時間とみなすという、そういう規定が労働基準法施行規則第22条に規定されていたのです。

これが、法律上の規定になったのが、1987年の改正です。これももう30年以上前になりますけれども、このときに改正労働基準法の第38条の2というところに、労働者が労働時間の全部または一部について、事業場外で業務に従事した場合において、労働時間を算定し難いときは、所定労働時間労働したものとみなすという規定が設けられました。

中身自体は、それまで省令にあったものとほぼ同じなのですが、注目すべきは、このときに出された通達です。労働省が出した通達（昭和63年1月1日基発第1号、婦発第1号）なのですが､その中に､無線やポケットベル等によって、随時使用者の指示を受けながら労働している場合には､労働時間の算定が可能であるので、みなし労働時間労働制の適用がないという記述があります。

無線とかポケットベルって何のこっちゃって思われるかもしれません。この話をすると、若い学生にポケットベルって何ですかって聞かれるのですけれども、今のスマホの前に携帯電話（ガラケー）の時代があって、その携帯電話のさらに昔にポケットベルというのがあって、ポケットの中でピピピと鳴ると、慌ててテレフォンボックスに走っていって、そこで会社に電話をかけるということがその昔にはあったのだよ、と説明すると、何やら古代の伝説を聞くような顔で見られるのですが。

まあそれはとにかく、そんな時代の通達が、これは実は未だに生きています。なぜかというと、労働基準法第38条の2は、1987年に規定が設けられて以来改正されていないのです。同じみなし労働時間制でも、裁量労働制の方は続々と規定が膨張していきましたが、事業場外労働の方はそのままです。それゆえに、この第38条の2についての30年以上昔の通達が、この部分はまだ生きているということです。無線、ポケベルという、古代の遺物みたいなのが出てくるので、我々はポケベル通達とか言っていますが、とにかく法律自体は何も変わっていないのですね。

4　2004年在宅勤務通達

ただ、これは先程言ったように、いわゆる外回りの仕事を前提とした規定であり、通達だったのです。では、それと在宅勤務というものがつながるのがいつかというと、2004年に出された通達によってでした（「情報通信機器を活用した在宅勤務に関する労働基準法第38条の2の適用について」（平成16年3月5日基発第0305001号））。これももう20年近く前になりますけれども、この通達は実は通達といっても、厚生労働省が主体的に出したというよりは、地方から、具体的には京都労働局長から、これはどうしたらいいのですかと聞かれて、それに対して、これはこうするのだよというふうに答えた、そういう質問に対する回答の通達になります。2004年の通達ですが。

この通達の中で、情報通信機器を用いた在宅勤務に事業場外労働のみなし労働時間制が適用される要件として､①から③が示されています。「①当該業務が起居寝食等私生活を営む自宅で行われること。」これは定義みたいなものですね。「②当該情報機器が使用者の指示により、常時通信可能な状態に置くこととされていないこと。」さあ、これどういう意味なのか、この通達だけだとよく分かりません。
「③当該業務が随時使用者の具体的な指示に基づいて行われていないこと。」これも、これだけではどう解釈していいのかよく分からないところがあります。

でも、このときの2004年の通達は、これだけしか書いてありませんでした。もっとも、ただし書きとして、個室確保等、勤務時間帯と日常時間帯が混在することのない措置があれば、みなし労働時間制は適用しないということも書かれていました。これが、2004年に京都労働局長からの質問に対して、厚生労働省の労働基準局長が回答した通達に書いてあることです。

その通達と同時に、「情報通信技術を活用した在宅勤務の適切な導入及び実施のためのガイドライン」（基発第0305003号）というのも出されています。法律の適用に関わることについては、今言った通達に書いてあることと一緒です。あとは、労働条件の明示だとか、あと業務に従事した時間を日報で記録して、それで労働時間の入力を把握するとか、安全衛生だとか、いろんなことが縷々書いてあります。この辺は、今日のガイドラインにもつながっている話です。

5 労働市場改革専門調査会

この2004年通達の記述に対して、2007年にこれは何だというふうに文句をつけたといいますか、問いただしたのが、当時内閣府の経済財政諮問会義に設置されていた労働市場改革専門調査会です。この2007年というのは、ちょうど小泉内閣から第1次安倍内閣に変わった頃ですが、今でも活躍されている八代尚宏先生が経済財政諮問会議の民間議員に就任し、その中で労働市場改革専門調査会というのを設けて、自らその会長として精力的に労働改革に取り組んでおられました。

この専門調査会で、若者、高齢者、女性、外国人等々、いろんなことについて審議をしたのですが、その一環としてこの在宅勤務の問題についても審議をされ、そこに厚生労働省の担当官、当時の企画官レベルの方が呼ばれて、いろいろとこれはどういう意味なのだと問われ、いやこれはこういう意味でございますと答えています。その議事録は、今でも読めます。

基本的には、そこで、これはどういう意味なのだと問われ、これはこういう意味でございますと答えたことについて、ではちゃんとお前が答えたことを通達に書けと約束させられたという形になっていまして、その約束したことを書いたのが、この次に出てくる2008年通達ということになります。

それとは別に、厚生労働省が書くと約束したこと以外に、この専門調査会側が、実質的には八代先生の側が、在宅勤務の法制度はこうすべきではないかということを、2007年9月の第2次報告において一方的に書いたのが「在宅勤務法制の今後の検討課題」です。ここでは、事業場外みなし制を超えて、深夜業や休日労働についても、労使協定で労働者の裁量に委ねるという制度にすべきではないかと言っています。裁量労働制の新しいタイプであるとか、独自のみなし労働時間制とか、あるいはそもそもみなしでない新たな労働時間制度というものをやったらどうだというようなことも、この報告書には書いてあるのですが、それは別に厚労省側が約束したものではありません。

6 2008年通達とガイドライン

厚労省側が、この場で約束したことを書きこんだのが、2008年通達（平成20年7月28日基発第0728002号）であります。その中身は、2004年通達で書いてあったこと、特に②の「使用者の指示により常時」と「通信可能な状態」、③の「具体的な指示に基づいて行われる」の意味するところを、を詳しく解説したのがこの2008年通達ということになります。ちょっとごちゃごちゃとして入り組んでいますが、もしよく分からなければ、後でじっくりともう一遍資料を御覧いただければと思います。

まず、「使用者の指示により常時」とは、労働者が自分の意思で通信可能な状態を切断することが、使用者から認められていない状態を意味します。次に「通信可能な状態」とは、使用者が労働者に対して情報通信機器を用いて、電子メール、電子掲示板等により（この辺がちょっと時代を感じさせますね。もう10年ちょっと前ですけれども、もう今の若い人だと、何これ？というかもしれません。）随時具体的に指示を行うことが可能であり、かつ使用者から具体的指示があった場合に、労働者がそれに即応しなければならない状態。すなわち、具体的な指示に備えて手待ち状態で待機しているか、または待機しつつ実作業を行っている状態の意味である。単に回線が接続されているだけで、労働者が情報通信機器から離れることが自由である場合等は、「通信可能な状態」には当たらない。

何でこんなことを延々と書いているかというと、結局さっきのポケベル通達が根っこにあるからなのですね。ポケベルで呼び出されるのだったら、みなし労働時間制にすることはできないよという話に一方でなっているので、在宅勤務の場合は非常に事細かに、こういうことが担保されていれば、事業場外労働のみなし労働時間制が適用できるのだよということを書いてあるわけです。

それから３つ目として、「具体的な指示に基づいて行われる」というのはどういうことかというと、当該業務の目的、目標、期限等の基本的事項を指示することや、これらの基本的事項について、所要の変更の指示をすることは含まれない。ちょっと考えると、何でもかんでも具体的な指示に当たってしまい、みなし労働時間制はできなくなりそうだけれども、そうでもないのだよということを、非常に詳しく丁寧に解説しているわけです。それが 2008 年通達ということになります。

そして、これにあわせてガイドラインも改定されています。こちらのガイドラインのほうでは、深夜業、休日労働について言及しています。深夜業、休日労働については、先ほどの専門調査会でかなりいろいろ言われたということで、考え方自体を変えているわけではないのですが、事前許可制とか事後申告制を取っていて、そして事前許可や事後申告がない場合には、労働時間に該当しないのだということを、通達ではなくてガイドラインのほうで、注意書き的に書いております。

7　国家戦略特区法の援助規定

次は、国家戦略特区法という、他の規制緩和分野ではかなり猛威を振るってきた法律で、政治的にもいろいろと話題になったりした法律ですが、テレワークに関してはあまり大した中身のない規定が設けられたという話をします。

とはいえ、日本国の現行法制の中で、テレワーク、あるいは在宅勤務について、法律上に規定があるのは実はこれだけなのですよ。労働法と言われる諸法律の中には、どこにも規定がないのです。省令などのレベルに降りればあるのですけれども、法律上は、事業場外労働のみなし労働時間制という一般的な規定の労働時間法制の規定はあるのですけれども、在宅勤務について規定した法律というのは特にありません。法律上に「在宅勤務」という言葉が出てくるのはここだけなので、ここで触れておきたいと思います。

2017 年 6 月に国家戦略特別区域法が改正をされまして、第 37 条の 2 として「情報通信技術を利用した事業場外勤務の活用のための事業主等に対する援助」という規定が設けられました。国家戦略特区といっても「援助」に過ぎません。国家戦略特区の中には、規制を大胆に緩和したり、いろんなものがあって、結構問題になったりすることもあるのですが、これは援助規定に過ぎません。この中に、「情報通信技術利用事業場外勤務」を「在宅勤務その他の労働者が雇用されている事業場における勤務に代えて行う事業場外における勤務であって、情報通信技術を利用して行うもの」という、テレワークの定義規定が書き込まれております。

この援助規定を受けて、東京テレワーク推進センターというのが設置されています。それだけが、この国家戦略特区法のこの規定の現実世界における結果です。とはいえ、少なくとも「在宅勤務」という言葉は、日本国の法律の中では、国家戦略特区法の上には一応規定が置かれているという状況になっています。

8　働き方改革実行計画

ここから、わりと最近の動きになってまいります。昨年はコロナ禍で大変だったのですけれども、その少し前まで、ここ数年間の労働問題の最大の話題は、何といっても働き方改革であったことは言うまでもありません。その働き方改革の二大柱はもちろん、いわゆる「同一労働同一賃金」という名で呼ばれている非正規労働者の均等・均衡処遇の問題と、長時間労働の是正のための時間外労働・休日労働の上限規制の二つです。しかしながら、2017 年 3 月に官邸でとりまとめられた『働き方改革実行計画』を見ますと、9 項目にわたっていろんなことが縷々書かれております。

その縷々書かれている中には、「柔軟な働き方がしやすい環境整備」という項目があります。その中にもさらに 3 つほど項目があって、この雇用型テレワークの話と、それから自営型テレワーク、そして兼業・副業という、この 3 つの柔軟な働き方のことが取り上げられております。前回のこの特別講座で取り上げたフリーランスは、この働き方改革実行計画で自営型テレワークという形で言われていたものですが、もう一つの雇用型テレワークについても、そのガイドラインの刷新と導入支援ということが、この働き方改革で打ち出されたわけであります。

この段階で、どういう問題意識があったかというと、おそらくこれは先程申し上げました ILO の世代論からすると、ホームオフィスからモバイルオフィスに、そしてバーチャルオフィスにというテレワークの進化を受けているのではないか。まあバーチャルオフィスという認識にまで達していたかどうかは分かりませんが、少なくともホームオフィスからモバイルオフィスへと、いつでもどこでも仕事するようになってきているという認識が背景にあり、そこから在宅勤務だけではなく、サテライトオフィスとかモバイル勤務といったものも、この雇用型テレワークの中に含めて、大いに進めていこうというスタンスであったのではないかと思われます。

また、フレックスタイムとか通常の労働時間制度における中抜け時間、あるいは移動時間の扱い、あるいはこれまでも規定されてきた事業場外みなしの活用条件などを具体的に整理すべしということも書かれていました。これを受けて厚生労働省に「柔軟な働き方検討会」が設置され、同じ 2017 年の 12 月に報告書が出され、翌 2018 年の 2 月に、「情報通信技術を利用した事業場外勤務の適切な導入及び実施のためのガイドライン」、いわゆる 2018 年ガイドラインが策定されたわけであります。

9　2018 年ガイドライン

この 2018 年ガイドラインは、ほんの 3 年前のものなのですが、まさに今ちょうど昨日、今日の段階で新しいガイドラインに変わろうとしています。ですので、なお現時点ではまだ最新のガイドラインです。そのガイドラインにどんなことが書かれているかというと、これはどこかにはっきり書いてあるというよりも全体のニュアンスなのですけれども、働き方改革においては、長時間労働の是正というのが基軸になっていましたことを反映して、どちらかというとむしろ、厳格な労働時間管理に傾斜した感じになっております。

これまでの 2004 年、2008 年の通達やガイドラインは、基本的にはもともと聞かれたことに対して答えたというところから始まっているからでもあるのですが、事業場外労働のみなし労働時間制を適用するにはどうしたらいいかという、そういう観点から記述されていたのに対して、この2018年ガイドラインはむしろ、通常の労働時間制度を原則としています。通常というのは、まさに出勤時間があって退勤時間があり、その間の時間が所定労働時間だという普通の労働時間制度ですが、テレワークであってもその通常の労働時間制度が原則であるというふうに書いているのです。

それに加えて、テレワークについても、2017年1月の労働時間適正把握ガイドラインに基づいて、労働時間の適正把握責務というのが適用されるのであるとか、いわゆる中抜け時間について、この「中抜け時間」というのは、在宅勤務だと仕事している間は家にずっといるので、その間にちょっと家の仕事、あるいはちょっと買い物に出たりとかということがあり得るのですが、そういったいわゆる中抜け時間というものを、どういうふうに扱うべきかという問題に対して、これを休憩時間とか、あるいは時間単位年休として扱うことが望ましいのだと、そういったことを規定しておりました。

また、フレックスタイムの活用が可能だけれども、やはりフレックスでも労働時間の把握責務がありますよとか、事業場外のみなし労働時間制についても、一定の要件で可能だと書いています。実を言えば、この部分についてはまったく変わっていません。事業場外労働のみなし労働時間制を適用する要件は、2004年通達、2008年通達のままなのです。ところが、ガイドライン全体の中の位置づけとして言えば、事業場外みなし制というものが、原則というよりは、より例外的な位置づけにされているように感じられます。さらに、どの労働時間制度を取るにしても、労働時間の健康確保の観点から、勤務状況を把握し、そして適正な労働時間管理を行う責務があるのだということが書いてあります。

さらに、深夜業・休日労働について、事前許可・事後報告制を取っているのであれば、事前許可・事後報告がなければ労働時間には該当しないと、これは前の2008年ガイドラインをそのまま維持しています。その上で、次にテレワークの長時間労働対策としてやや踏み込んだ記述がされています。ここは後に問題視される部分なのですが、実はよく読めば、この部分はサジェスチョンに過ぎないのですね。

ガイドラインといっても、かくあるべし的なことが書いてある部分は、ガイドラインといってもかなり法規制に近いという感じです。法的拘束力があるかどうかといえば、厳密にはないといわざるを得ませんが、でも法規制に準じるような部分です。それに対して、ここでテレワークの長時間労働対策として挙げられている項目は、そういう法規制的なものではなく、純粋にサジェスチョン的な部分、こういうふうにしたらいかがですか、よろしいのではないでしょうかというような書き方です。そうしろと言っているわけではありません。

そこでどんなことが書かれているかというと、テレワークの長時間労働対策として、

①時間外、休日、深夜のメール送付は自粛命令、
②社内システムへの深夜、休日のアクセス制限、
③時間外、休日、深夜労働の原則禁止、許可制、
④長時間労働をする者への注意喚起

をしたらどうかと言っています。これらは、いずれもサジェスチョンなのですが、後に規制改革推進会議から批判を受けることになります。

その他、安全衛生の話だとか、業務内容や業績評価の明確化、情報通信機器の費用負担などについて記述が続き、最後に「テレワークを行う労働者の自律」ということが謳われています。謳われているとはいいながら、しかし全体としていうと、長時間労働を是正、抑制するために、

厳格な労働時間管理に傾斜した感じの強いガイドラインになっております。

10　規制改革推進会議

今、テレワークの長時間労働対策として挙げられた項目が批判を受けたと申し上げました。批判したのは内閣府の規制改革推進会議です。政府の規制改革機関も少しずつ名前を変えながらずっと続いておりますが、この規制改革推進会議に、2019 年の 3 月に、これはちょうど今から 2 年前であり、ですからコロナ禍の 1 年前になりますけれども、「働き方の多様化に資するルール整備に関するタスクフォース」というのが設置されました。このタスクフォースの主査も八代尚宏先生です。やはり労働規制緩和ということになると、八代先生が顔を出すという感じです。このタスクフォースが、先に説明した新しい 2018 年ガイドラインについて批判をしているのです。

どういう批判かというと、2019 年の 6 月に、規制改革推進に関する第 5 次答申というのが出されているのですが、その中でこう言っています。「テレワークのみ、ことさらに深夜労働等の原則禁止を示すガイドラインの記載は、通常の事業場での働き方に比べて制約が大きいという認識を与えかねない」。それゆえ、ニーズ調査をせよ、そして誤解を与えかねない表現の見直しをせよ、こういうことを規制改革推進会議は求め、これが、閣議決定された規制改革実施計画に盛り込まれることになったわけであります。

これが、2019 年というコロナ禍の前の年に置かれた状況だったのですね。ですから、実はコロナ禍の前に、テレワークについては何らかの見直しをしないといけないという状況にはなっていたわけです。その後昨年の初めごろから、世界中でコロナ禍が広がっていきました。その中で、冒頭申し上げたように、在宅勤務が急速に広がっていったということもあり、テレワークガイドラインの見直しが課題に上がってきます。その中でやや時間は相前後するんですけれども、昨年の秋ぐらいに、この規制改革推進会議や、経済財政諮問会議、あるいは経団連といったところがテレワークに関して意見を言っておりますので、それらをざっと見ておきたいと思います。

いずれも、先ほどの 2019 年の規制改革推進会議第 5 次答申で言っていることの延長線上です。まず規制改革推進会議が昨年 2020 年の 10 月に、当面の審議事項という形で掲げたものの中で、こういうふうに言っています。「労働時間管理や労働環境などの労働関係の規制、制度について、テレワーク推進の観点から、ガイドラインで制度の取扱いや運用の明確化や柔軟化を行う」。これはどういうことかというと、ガイドラインが少し厳し過ぎるのではないか、もうちょっとこういうことをしても大丈夫だとか、あるいは柔軟化をしたらどうだということを言っているわけですね。これは、規制改革推進会議の雇用・人づくりワーキンググループというところで、既に審議が開始されております。

それから経済財政諮問会議、こちらはどちらかというと、マクロ経済全体の司令塔的な、毎年骨太の方針というのをつくるところですが、そこでもやはり昨年 2020 年の 10 月に、経済財政諮問会議の有識者議員、これは経済学者と経済界の方々ですが、彼らから「テレワークの定着拡大に向けては、就業ルールを柔軟に見直すべき。事業場外みなし労働制度の弾力的活用、裁量労働制のあり方、都会と地方の双方向での活用など、テレワークの拡大に向けた新たな KPI（これは数値目標というか指標みたいなものですが）の設定などについての具体的方針を年内に明らかにすべき。引き続き、新しい働き方にふさわしい労働時間法制の検討を急ぐべき」というふうに提起をしております。

それから、これもまた昨年 2020 年の 10 月なのですが、経団連も規制改革要望を出しておりまして、その中でこの 2018 年のガイドラインがテレワーク時の時間外・休日・深夜労働の原則禁止を例示するなど、新しい生活様式としてのテレワークを促進する内容とは言い難い、よってテレワーク時の残業に関する企業の萎縮効果を招く恐れがある時間外・休日・深夜労働の原則禁止との記述を削除すべきと求めています。先程説明したように、ガイドラインは別に時間外・休日・深夜労働を原則禁止にしろと言っているわけではなくて、原則禁止をすることも考えられますよと言っているだけなのですけれども、こういうことを昨年の 10 月に、規制改革推進会議、経済財政諮問会議、経団連といったところが一斉に求めていたということになります。

11　テレワーク働き方検討会

その少し前になりますが、昨年 2020 年の 8 月から、厚生労働省が「これからのテレワークでの働き方に関する検討会」を設置して議論を開始しました。これは両面あって、1 つは前の年に規制改革推進会議からニーズ調査をしてガイドラインを見直せと言われていたので、そのために検討を始めなければならないという状況にあったことに加え、昨年はじめ頃から、コロナ禍で急激に在宅勤務が広がり、その在宅勤務が広がっていることに対しても何か政策対応しなければならないという、おそらくその両方が合わさる形で始まったのではないかと思います。そういう状況下で、昨年 2020 年の 8 月、厚生労働省の雇用環境・均等局に、「これからのテレワークでの働き方に関する検討会」というのが設置されたわけです。

この検討会には、研究者と実務家も入っているのですが、座長は守島基博先生で、私もその委員をしておりました。濱口が検討会で何をしゃべったかというのは、これは厚生労働省のホームページに議事録が全部アップされていますので、もし興味があれば見ていただければと思いますが、私はこの第 4 回の会合で、今日の後半部分でお話をいたします、諸外国の動向について報告をしております。

この検討会では実にさまざまな論点についてあれこれと議論をしまして、昨年 2020 年の 12 月にその報告書を取りまとめております。これも厚生労働省のホームページに載っていますのでご覧になれます。その後、その報告書を受けて、新しいテレワークのガイドラインというものが、今ほぼ策定されつつあります。現時点（3 月 17 日）現在ではなお「ガイドライン案」ですが、昨日 3 月 16 日、労働政策審議会の労働条件分科会に、この新しいテレワークガイドライン案がかかっています。おそらくそれで了承されたのではないかと思うのですが、まだ確認しておりません、確認できておりませんので、現時点ではまだガイドライン（案）なのですが、もうすぐ「案」が取れて新たなガイドラインになるだろうと思います。

12　新テレワークガイドライン

新たなテレワークガイドラインの中身は、既に昨日、審議会の資料としてアップされています。大体、昨年 12 月の報告書に対応する形で、その報告書で指摘されていることを、ガイドラインの形で記述し直したという形になっております。以下、その中身を少し詳しく見ていきたいと思います。

(1)　対象業務と対象者の選定

まず、これは私が検討会でもかなり申し上げた点なのですが、テレワークの対象業務について、最初はその対象者の話から始まっていたのです。しかしこれに対しては、やはり対象業務という問題があるではないかと。とりわけ、やはり今回のコロナ禍の中で、一方でテレワークできるところは大いにテレワークすべきであるといいながら、なかなかそれができない、いわゆるエッセンシャルワーカーと言われるような、テレワーカビリティの乏しい職種というのは間違いなくあって。それが、やはり世の中を支えているのだという話もあるので、その点もきちんと指摘すべきだということで、それもガイドラインに入っています。

ただ、とはいいながら、やはり１つ１つをきちんと検討して、個別業務単位でこれはテレワークができるのか、できないのかということを考えていくべきです。とりわけそこで重要なのは、原案ではここから始まっていたのですが、テレワークの対象者を選定する際に、正規とか非正規といったような雇用契約の違いのみを理由として、対象者を分けることのないように留意すべきであると。この点については、この間多くのマスコミ報道でも、非正規労働者であることを理由にテレワークが認められない、ほかの正社員はテレワークが認められているのに、私は非正規だからテレワークさせてもらえないといったことが、縷々報道されたりしていますので、そこはこの冒頭に近いところで指摘をしております。

それから、これも結構マスコミで繰り返し報道されたことではありますが、個別業務単位でテレワークができるか、できないかということを検討する際に、今はハンコを押さなきゃいけないから出勤せざるを得ないけれども、やはりそれはそこを見直すべきでしょうというようなことも書いてあります。押印の廃止であるとか、ペーパーレス化、あるいは決算の電子化といったことが有効だということですね。

(2) 人事評価等

それから、人事評価の問題については、人事評価の問題、出社しているということのみを理由に高く評価したり、あるいはテレワークしているものが、時間外のメールに対応しなかったということのみを理由に、不利益な人事評価をしたりするというのは、これは不適切ですよというようなことが書かれております。ただこの点については、私は検討会の席上でも指摘したのですが、そもそも日本ではこの間、在宅勤務やテレワークに関しては人事評価をどうするかということばかりが大変な関心事項になっていたのですが、これは諸外国ではほとんど見られない現象でした。

私の観点からすると、人事評価というのはどちらかというと表面的な話であり、むしろ根っこの話は業務のやり方、進め方の問題ではないかと思います。例えば欧米のオフィスであれば、IT が入る以前から基本的に紙ベースで仕事をしています。そうすると、その紙ベースの仕事の進め方が電子化されるだけであり、その電子化された紙ベースの仕事の仕方がテレワークになって距離が離れても基本的にその延長線上で行われるのです。これに対して、もともと日本のオフィスでは紙ベースというよりも、いわばバーバルコミュニケーションあるいは場合によったらノンバーバルコミュニケーションが重要でした。だから、それが電子化されてもやはりちょっと来て、説明しろといった話になりますし、それをテレワークでやるのはなかなか難しいのでしょう。

その難しさが表面に現れた一つが人事評価の問題なのです。確かに人事評価という形で問題が露呈しているのですが、根っこはむしろ業務の進め方の問題ではないかと思います。そういう意味では、かなり根が深い話です。ただ、だからといって、仕事の進め方をがらりと変えて、基本的に文書ベースで全部やるべきだという話になるのかどうか。これがまた日本の組織の在り方とも密接に絡む問題なのでなかなか難しいのではないか。これは後の人材育成の問題も一緒だと思うのですが、日本の雇用の在り方の根っこに関わる話ではないかと感じております。人事評価をどうするか、成果なのかプロセスなのかという話だけでは話が解決しない、そういう印象を持っております。

ちなみに、人材育成もこの人事評価の話とつながっています。日本の場合、即戦力として採用するわけではなくて、いわば素人を採用して、それをその上司や先輩が鍛えていくというやり方です。そうすると、そこはやはり文書ベースだけではなかなかうまくいかないので、どうしてもバーバルなあるいはノンバーバルなコミュニケーションとともにやっていくことになる。となると、テレワークとの相性というのはなかなか難しい。これも人材育成をどうするかという形で問題としては出てくるのですが、やはりその根っこのところには根深い問題があるのではないかと思います。

それから、費用負担の問題ですが、これも結構重要で、通信費とか機器費用の負担について、あらかじめ労使で話し合って定めることが望ましい。人材育成の問題としては、テレワークの導入時には必要な研修をする必要がある。あるいは、適切な業務指示ができるように、管理職のマネジメント能力の向上が必要だと。あるいは、労使協議の上で、テレワークのルールを就業規則に定めて周知すべきだというようなことが、縷々書いてあります。

(3)　労働時間制度

ここからが、いよいよ本題といいますか、規制改革推進会議やほかの機関からもいろいろ言われているし、論点になっているところです。テレワークの労働時間制度の問題。ここは、より詳しく見ていきたいと思います。

まず、通常の労働時間制度をとる場合であっても、始業・終業時刻を労働者ごとに自由に認めることはできるのだよと書かれています。これは、もちろん論理的にはもともとそうなのですね。別にそんなことを禁止しているわけでも何でもないし、たとえばシフト制というのも、労働者ごとに始業・終業時刻が異なる事例の一つです。そうではあるのですが、それでも何となくテレワークでも、みんな一斉に始業・終業でなければならないみたいについつい思ってしまいがちなのですが、そんなことはないよと注意喚起をしているわけです。

それから、フレックスタイム制とか事業場外労働のみなし労働時間制というのは、テレワークになじむのだよと書いています。別になじもうがなじむまいが、法律論としては特に何も言っていないような気もしますが、前の 2018 年ガイドラインでは、何かしら通常の労働時間制度のほうが望ましいのだと、そちらに誘導するような感じがあったのに対して、むしろ、ちょっとそのベクトルを少し引き戻して、こういった特別な労働時間制度を使うことも、テレワークには本来なじむのだよということを言っているのだろうと思います。

このテレワークに対する事業場外労働のみなし労働時間制の適用については、今まで述べてきたように、これはもう歴史的には 2004 年通達以来ですから、20 年近くの歴史があります。この点についての新ガイドラインの基本的な考え方は、2004 年通達、そしてそれを詳細化した 2008 年通達の考え方の延長線上なのですが、書き方が若干変わっています。あるいはむしろかなり変わっているといった方がいいかもしれません。そこで、ここでもできるだけ注意深く見ていきたいと思います。「情報通信機器が使用者の指示により、常時通信可能な状態におくこととされていないことには、以下が含まれる。

①勤務時間中に、労働者が自分の意思で通信回線自体を切断することができる場合。
②勤務時間中は、通信回線自体の切断はできず、使用者の指示は情報通信機器を用いて行われるが、労働者が情報通信機器から自分の意思で離れることができ、応答のタイミングを労働者が判断することができる場合。
③会社支給の携帯電話等を所持していても、その応答を行うか否か、または折り返しのタイミングについて、労働者において判断できる場合。」

基本的な考え方は、変わっていないといえば変わっていないのですけれども、より分かりやすくなっています。そしてあえていうと、就業規則上にこういう風に規定を置いておけば、事業場外労働のみなし労働時間制を適用できるのだよというふうに、いわば現場が使いやすい形で、このガイドラインに記述を書き替えたというふうに言っていいんだろうと思います。

それからもう一つ重要な点として、「情報通信機器を労働者が所持していることのみをもって、制度が適用されないことはない」と述べています。これは思うに、もうはるか昔のポケベル通達の、ポケベル持っていたらみなし制は適用できないというような考え方があるために、いまだにまだ通達が生きているので、テレワークについてはそんなことはないのだよということをわざわざ書いてあるということだろうと思います。

さらに、「随時使用者の具体的な指示に基づいて業務を行っていないこと」には、以下が含まれるということで、次のように書いています。使用者の指示が業務の目的、目標、期限等の基本的事項にとどまり、1日のスケジュール（作業内容とそれを行う時間等）をあらかじめ決めるなど、作業量や作業の時期、方法等を具体的に特定するものではない場合。考え方は基本的には継続されているというのは確かですが、ニュアンスとしては、こういう風にすれば事業場外労働のみなし労働時間制を適用できるのだよというふうに、より使いやすい方向にガイドラインの記述がシフトしているということだろうと思います。

それから、労働時間管理は、使用者による現認ができないけれども、それができなくても、情報通信技術を活用して行えるのだということで、客観的な記録による把握としては、2つ挙げています。一つ目は労働者がテレワークに使用する情報通信機器の使用機時間の記録によって、労働時間を把握するやり方。もう一つは、サテライトオフィスでの入退場の記録等により、労働時間を把握するというやり方。これで客観的な記録で把握できますよということが書いてあります。

また、自己申告による把握については、1日の終業時に、始業時刻及び終業時刻をメール等で報告するというやり方でできますよと言っています。労働者からの自己申告により把握した労働時間が実際の労働時間と合致しているか否かについて、つまり自己申告しないで裏側で何かいろいろ仕事をしてしまっているのをどう考えるかについては、パソコンの使用状況など、客観的な事実と自己申告された始業、終業時刻との間に、著しい乖離があることを把握した場合には、所要の労働時間の補正が必要ですと言っています。これは、当然そういうことになるでしょう。

ただし、使用者が乖離を認識していない場合には、当該申告された労働時間に基づき、時間外労働時間の上限規制を遵守し、かつ同労働時間をもとに賃金の支払い等を行っていれば足りると言っています。要するに、使用者が認識していれば、つまり何だかパソコンがいつまでも動いているみたいだけど、何かやっているのではないか、隠れて仕事をしているのではないかと分かれば別だけれども、そうでなければ、闇で労働者が自宅でいろいろ作業していても、それ自体は使用者の責任を発生させるものではないですよということです。

そして、中抜け時間、これは2018年ガイドラインの中でもいささか違和感のあったところでもありますし、私もこの検討会の席上でいろいろと指摘をしたところです。これについて労働基準法上、使用者は中抜け時間を把握することも、中抜け時間を把握せずに始業・終業の時刻のみを把握することも、いずれも可能、どちらでもいいと委ねています。把握しない場合はどうなるかというと、中抜け時間も含めて、休憩時間を除いて全部労働時間になるというだけなので、別に全部把握しなくてもいいのですよということを書いてあります。ある意味、当然といえば当然ですね。

そして、長時間労働対策について。これがまさに先ほど見たように、規制改革推進会議から批判されていた部分ですが、誤解を与えかねないと言われていた先ほどの「③時間外、休日、深夜労働の原則禁止、許可制」のところですが、「時間外・休日・所定外深夜労働についての手続」というふうになりまして、労使の合意により、時間外等の労働が可能な時間帯や時間数を、あらかじめ使用者が設定することも有効だと、こういう記述になっています。

ここまでがどちらかというとわりとセンシティブなところです。そのほか、安全衛生で、自宅での作業環境の確認のためのチェックリストというのが、今回のガイドラインの後ろのほうに添付されています。これで安全衛生についてはチェックしましょうねということです。

さらに、長時間労働者への面接指導とか、いわゆるメンタルヘルス対策、具体的にはストレスチェックという、皆様もそれぞれの企業でされていると思いますが、これはテレワークでも必要ですとか、テレワーク中でも労災保険の対象となるので、その災害発生状況を正確に把握できるように、ちゃんと労働者が記録しておくことが必要ですよとか。あるいは、テレワークでもハラスメントというのがあるので、防止対策が必要だとか。あと、情報セキュリティ対策とか、従業員への教育が必要だということが、縷々書かれております。

ということで、これはおそらくもうあと数日ぐらいで（案）が取れて、厚生労働省のホームページに、こういう形の新ガイドラインができましたというのがアップされると思います[2]。

13　長時間労働の抑制と労働者の私的自由の矛盾（私見）

ここで、テレワークをめぐるやや哲学的な問題として、長時間労働の抑制と労働者の私的自由の矛盾という点について、私自身の私見をいささか述べさせていただきたいと思います。その中には、上記検討会の席上で私から発言した部分も幾つかあるのですが、それを少し膨らませて、私なりに個人的に考えていることを、簡単にまとめておきたいと思います。

今回のコロナ禍で、非常に多くの人が思いもかけず在宅勤務をすることになりました。その結果、厳格な労働時間管理というのは、それは確かに労働時間規制、長時間労働の抑制という観点からはいいことではあるのですが、一方でそれが労働者の私生活、私的生活に対する介入にもなり得るということを、かなり多くの方々が経験したのではないかと思います。

例えば、幾つかの新聞報道が指摘していましたが、常時ウェブカメラで在宅勤務を求められる。今回、Zoomで会議をするということが急増しましたが、その際に、画面に顔を出さな

[2] 3月25日に「テレワークの適切な導入及び実施の推進のためのガイドライン」が公表されました。

くてはいけないのですか、というような話が結構ありました。顔を出せというのは、言ってみれば、おまえ、ちゃんとやっているのだろうなと、顔が見えなかったら信用できないから、ちゃんと顔を常に映しておけということなのでしょう。あるいは、離席をする場合はちゃんとチャットで投稿しなければならないという苦情もありました。こんなのはかえって息が詰まる、せっかく家にいるのに、何でそこまで縛られるのですか、というような報道が、昨年かなり多く新聞等でも書かれていました。お読みになった方も多いのではないかと思います。

こういうことを念頭に置いて、事業場外労働のみなし労働時間制の適用要件を読み直してみると、即応しなくていいとか、離席してもいいというのは、もちろんこれは事業場外みなし制という労働時間の特例を適用するために、こういう要件をつけているものではあるのですが、逆にいうと、何か上司から言ってきているけれども、すぐに反応しなくていいとか、ちょっとしばらく離れて自分のことをやっていてもいいというのは、ある意味でいうと、それは実は労働者にとってのメリットでもあるのではないかと思われるのです。

これまでのテレワークは、どちらかというと、よりハイエンドな、先端的な方々のやる働き方みたいなイメージがあったと思うのですけれども、今回のコロナ禍で、わりとごく普通の人たち、普通の仕事をしている人たちが大量に在宅勤務をするということになって、日頃はいつも大部屋で上司から見られている人が在宅になったために、以前の感覚で見えていないと心配だからといって、上司のほうもちゃんと顔を出しておれに見せろみたいなふうになるというのが、この事態の源泉にあるのではないかと思うのです。それが今回のコロナ禍で露呈してきたのではないかというわけです。

この問題意識というのは、今まで全くなかったわけではないのです。長時間労働の抑制だけが労働者のメリットではなくて、労働者の私的自由というものも大事なのだと。とりわけ在宅の場合には、それも重視すべきではないかということが、改めて意識化された経験だったのじゃないかと思います。意外なことに、この問題意識は、2018 年のガイドラインには書かれていないのですが、その前の2004年や2008年のガイドラインには書かれていたのです。

具体的には、「在宅勤務については、事業主が労働者の私生活にむやみに介入するべきではない自宅で勤務が行われ、労働者の勤務時間帯と日常生活時間帯が混在せざるを得ない働き方であることから、一定の場合には労働時間を算定し難い働き方として、事業場外労働のみなし労働時間制を適用することができる」という言い方をしていました。これはもちろんみなし労働時間制を適用するかどうかという観点からの記述ではあるのですが、単に会社の外にいて、つかまえにくいから労働時間を算定し難いというのではないのです。

いや、もともとのみなし労働時間制はそういう発想です。外回りのセールスマンがどこに行っているか分からないからみなし労働時間制を使うしかない、と言う発想です。ところが、今ではみんなスマホを持っているので、外回りしている労働者がいつどこにいるかというのは、会社側には全部掌を指すように分かるようになっているので、本当をいうと、30 年以上前にポケベル持っているだけでもだめだったのに、今のセールスマンでみなし制が適用できる人なんかほとんどいないはずなのですね。

それはそれで一つの労働時間制度の考え方なのですが、そういう単に労働時間を算定し難いというだけではなく、自宅にいる労働者の一挙手一投足を監視するようなことは望ましくないからという理由で、つまり、技術的には労働時間を算定することはできるけれども、あえて労働者を監視して労働時間を算定しないほうが望ましいという価値判断もあり得るのではないか。その一つのヒントみたいなものが、かつてのガイドラインには書かれていたのではないかという感じがするのです。

もちろん、ここだけを強調するとやはり危ないのです。在宅で目が行き届かないからといって、野放図な長時間労働を認めていいわけではありません。そういう意味では、両方のバランスをどう取るかなのだと思います。長時間労働の抑制と、それから私的自由の確保という2つの利益のバランスを、どう取るかということが問題なのではないかと思います。

その観点からすると、働き方改革の一環として、2018年に労働安全衛生法が改正されまして、事業場外とか裁量制といったいわゆるみなし労働時間制の労働者についても、労働時間の状況の把握義務があります。労働安全衛生法第66条の8の3という規定が、この2018年改正で入っているのですが、これは残業代計算のための厳格な労働時間把握義務ではなく、健康確保のための大まかな、医師の面接指導を受けなければいけないというような、そういう安全衛生上の観点からの労働時間の状況の把握義務というのが、みなし労働時間制であってもちゃんと適用されるということが、既に規定されております。

そういう観点からすると、ここは検討会でも申し上げた点ですが、通常の労働時間制度を適用するために、中抜け時間を時間単位年休扱いする、ちょっと買い物に行くから、これから1時間年休取りますというような、過度に厳格な労働時間制度はおかしな話なのではないかと思われるわけです。この点は、既に見たように、数日後に確定するガイドラインの中に、中抜け時間を一々時間単位年休にしなくてもいいよということが入っております。

Ⅱ テレワークの労務管理等実態調査

ここまでで全体のほぼ半分ぐらいの時間を費やしましたが、ここから先ほど申し上げた厚生労働省のテレワーク検討会において報告されたテレワークの労務管理実態調査報告の概略だけお話ししておきたいと思います。これは、この後やや詳しく述べる諸外国の状況についてのわたくしからの報告と同じ日に行われたものです。厚生労働省から三菱UFJリサーチ＆コンサルティングというところに委託して行われた調査で、2020年の7月ですから、ちょうどコロナ禍が一番盛りになって、その後緊急事態宣言が終わったあたりの頃に行われた調査で、企業調査と従業員調査からなっています。調査結果の詳細は、厚生労働省のホームページに載っていますので、ここではごく概略だけを紹介しておきます。

1　企業調査

まず在宅勤務の実施状況についての企業調査ですが、全体の実施状況は14.3%、大企業は高くて中小企業は低いです。業種別に見ると、まあこれはある意味当然ですが、情報通信業が高くて56.3%、医療・福祉は低くて3.3%、やはりエッセンシャルワークになればなるほど、テレワークというのは難しいのですね。

コロナ禍以前から導入していたのが26.0%で、コロナ流行を機に導入したのが63.9%で、こっちのほうがはるかに多い。

対象者が、これが先ほどのガイドラインでも注意を喚起していたところですが、正社員のみというのが47.3%、非正規もできるというのが46.9%で、ほぼ拮抗しています。職種によって違いは当然出るのは当然で、まさにテレワーカビリティのある職種、ない職種というのがあって、これも大きな問題でもあるんですが、しかし同じ仕事をしているのに、正社員だからテレワークできて、非正規はできませんよといったら、これはやはり非常に問題のあるところだと思います。

職種についてみますと、世界的にも職種によるテレワーカビリティの問題というのは、非常に大きな問題として注目されておりますが、この三菱 UFJR&C の調査によると、事務職（78.0%）とか営業職（49.7%）が多くなっています。専門技術職は中くらいですが、これは専門技術職という形で切っているためで、その中には医療・福祉・教育（19.5%）も入るし、エンジニア（30.8%）も入ります。一方で低いのは、販売職（3.9%）とかサービス職（6.7%）、運輸・保安職（1.3%）ですが、これも当然かと思います。

労働時間制度は、やはり 2018 年ガイドラインの影響もあるのかもしれませんが、通常の労働時間管理というのが 77.1% で非常に多いです。あと、フレックスタイム制が 30.3%、変形労働時間制が 28.2%、事業場外みなし労働制は 11.9%、専門業務型裁量労働制が 10.2%、企画業務型裁量労働制が 3.8% です。ちなみに、管理監督者は 65.5% と非常に多いのですが、これはこれらとダブっています。

勤怠管理は、いずれの労働時間制度でも、電子ファイルの出勤簿上に自己申告で記入するとか、上長等にメールで報告というのが多いです。規制改革推進会議から批判されていた 2018 年ガイドラインのサジェスチョンしていることに相当する部分をやっているのは、意外に多く、時間外労働禁止が、23.1%、深夜労働禁止は 37.6%、休日労働禁止が 34.5% という数字になっているのは、これをどう見るのかにもよるのですけれども、意外に多いというふうになるのかもしれません。

なお、コスト負担の問題として面白いのは、企業が貸与したり費用負担したりしているものとしては、パソコンが 74.4%、あとは周辺機器が 55.7%、スマホが 47.9%、通信機器が 25.3%。あとはタブレットが 14.0%、通信回線使用料が 9.0% で、定額手当というのは 6.2% と少なくなっています。

また、テレワーク時の働き方について、労使協議するというのが 49.7% で半分ぐらいですが、労使協議しないというのも 43.1% と結構あります。

2　従業員調査

次に従業員調査の方ですが、在宅勤務のメリットは何ですかという質問に対して、やはりこれはもうまさに、最初に見た ILO の報告書の最初のテレコミューティングと言っていた頃からそうなのですが、通勤時間が節約できるというのが、89.1% と 9 割近くに上っています。やはりそこに一番メリットを感じていますし、これと実は同じことの裏表なのですが、通勤による心身の負担が少ないというのが 82.4% あります。これは特に首都圏とか関西圏のようなところでは、コロナ禍で満員電車が少しは緩和されたのですけれど、それでも毎日通勤するということが、心身への負担がかなり大きいということを示しているのでしょう。あと、隙間時間を有効活用できるようになったというのが、60.1% あります。

それに対して、在宅勤務のデメリットはどんなものですかという質問に対しては、これもやはりいかにも日本的といいますか、同僚・部下とのコミュニケーションが困難になったというのが 56.0%、同じことの裏表ですが、上司とのコミュニケーションが困難になったというのが 54.4% です。結構、自分の仕事というのががきちんと決まっておらず、大部屋で、課とか部とかという単位で、集団的に仕事を進めていくという中では、常に同僚とか部下とか上司との間で、密接にコミュニケーションしながらやっていくというのを普通のやり方にしていると、それがテレワークという形で物理的に切り離されると、それを大きくデメリットと感じてしまうことになるのでしょう。そのデメリットをなんとか補おうとして、さっきの新聞報道にもあったように、常時画面に顔を出せというような話になると、これがまた部下にとってはたまらない圧迫感になるという、なかなか難しいところなのだろうという気がいたします。

あと、在宅勤務が可能な業務が限定されているというのが49.1％あるのは、これはおまえの仕事はテレワーク無理だよと言われているということなのでしょう。

それから、労働時間制度については、先程のは企業調査ですから、当然項目間にダブりがあるのですが、こちらは個人調査ですから原則として重なりはありません。そちらで見ていくと、通常の労働時間管理が55.5％と、やはり半分強が通常の労働時間管理になっています。フレックスタイム制が28.5％、裁量労働制は3.3％です。事業場外みなし労働制が驚くことにわずか0.9％で、大変少なくなっています。その他、変形制は5.4％、管理監督者も4.9％ということで、なんと2004年通達、2008年通達で、一番中心的に書かれていた事業場外みなし労働制というのが、1％もないのが実態であるということが、今回の調査で明らかになったということになります。

勤怠管理については、上長等にメールで報告するというのが40.9％、電子ファイルの出勤簿等に自己申告で記入するというのが34.4％、ウエブ打刻というのが26.8％と、こういう状況だということが分かりました。

この調査にはもう少しいろいろ詳しいいろいろなデータがありますが、それらは厚生労働省のホームページでみて下さい。また、テレワークについては、本当にこの1年間多くの調査がされています。昨年コロナ禍が始まってから、一番初めのところで紹介したJILPTの企業調査や個人調査でも、テレワークの項目というのは毎回入っていますし、ほかのいろんな機関が、コロナ禍の関係であれこれといろんな調査をやっているのですが、その中でテレワークの調査項目というのは非常に多いです。ただ、率直に言って、みんないろんな調査をてんでばらばらにやっているため、結局みんな同じような調査項目がいっぱい並んでいて、それらをまとめると相乗効果で、非常に面白いデータが上がってくると面白いのですが、必ずしもそうなっていない感じがいたします。これは、私の個人的なつぶやきというか、感想みたい話ですが。ここまでが日本の話になります。

Ⅲ EUのテレワーク政策

ここからが、世界の話になります。最初にお話したILOの報告書というのが、全体の話としては世界の話なのですが、その後ずっと日本におけるテレワークに関する法制度、法政策、とりわけ労働時間管理を中心とした法政策、法制度の展開について見てまいりました。

ここからは、諸外国の状況です。その中でも、私はEUについては若干詳しく調べていることもあるので、まずはEUのテレワークの状況について、ちょっと前にさかのぼったところから見てまいりたいと思います。

1　ILO・EU労研機構共同研究『いつでもどこでも働く』

先ほど、ILOの世代論を紹介したときに、第

1世代がホームオフィス、第2世代がモバイルオフィス、そして第3世代がバーチャルオフィスといいました。このバーチャルオフィスというのはどういう時代かというと、まさにスマホとタブレットによって、いつでもどこでも働く時代だというふうに申し上げたのですが、この「いつでもどこでも働く」(working anytime anywhere) というフレーズは、ある報告書のタイトルでもあります。

どういう報告書かというと、先に紹介した『21世紀のテレワーク』という報告書を出したILOと、ここからいろいろとEUの動きについてお話をしていきますが、そのEUの政策形成の素材となるさまざまな調査をしている研究機関、ここではわかりやすく「EU労研機構」と呼んでおりますが、正確に訳すと、欧州生活労働条件改善財団という名前の団体が一緒に行った共同研究成果の報告書です。この団体について若干説明しておきますと、EUの行政府は欧州委員会といいまして、その行政府の中に労働社会総局という日本の厚生労働省に当たる部局があります。その厚生労働省に当たる雇用社会総局の外郭団体で、同総局と連携した形で調査研究を行う機関がEU労研機構なのですね。ですから、ちょうど日本における厚生労働省と、我々労働政策研究・研修機構みたいな関係です。そこで、EUのJILPTですというのが一番分かりやすいのですが、EUにJILPTがあるというのは変なので、とりあえずEU労研機構というふうに訳しています。

英語の略称はユーロファウンドというのですね。何でユーロファウンドというのかというと、何かを発見したわけではなくて、ファウンドはファウンデーションの略です。欧州生活労働条件改善財団の、ヨーロピアン・ファウンデーション・フォー何とかかんとかの、ファウンデーションの前半を取ってユーロファウンドというのですが、これも日本語では何のことやらわけが分

RESEARCH REPORT

Working anytime, anywhere:
The effects on the
world of work

Joint ILO–Eurofound report

からないと思うので、あえて分かりやすくEU労研機構と訳しておきます。

というわけで、ILOという世界の労働関係の国際機関と、EUにおけるJILPTのような労働問題の研究機構が、共同で研究した結果を2017年にとりまとめた報告書のタイトルが『Working anytime anywhere』、いつでもどこでも働くという、大変魅力的なとも言えるし、大変恐ろしいとも言える、そういうタイトルの報告書になっているのです。

当然のことながら、これは今やもうホームオフィスだけではなくて、モバイルオフィス、バーチャルオフィスの時代になりつつあるのだと、こういう問題意識でこの報告書は書かれているわけですね。2017年に出ているので、コロナよりも少し前の世界なのですが、とはいえ既に、モバイルオフィス、バーチャルオフィスになっている時代です。まさにそういう第2世代、第3世代のテレワークを問題意識として書か

れたものなのです。

その対象は、EU 加盟国に加えて、アルゼンチン、ブラジル、インド、日本、アメリカといった諸国も対象になっています。日本も、この報告書の中ではデータとして使われております。これを見ると、なかなか面白いのですが、テレワークと ICT モバイルワークという、常にスマホとかタブレットを持ってあちこちで仕事しているような、そんな仕事をしている人の実施率が一番高いのはやはり北欧で、スウェーデンが 32%、フィンランドが 28%、アメリカが 20% ときて、日本は結構高いのですね。これを見ると、日本は 16% で、以下オランダ 15%、ドイツ 15%、フランス 15% と並んで、イギリスが異様に低くて 4% です。

ちょっと違和感のある数字かもしれませんが、これはいわゆる在宅勤務だけではないからです。ICT モバイルワークといった場合、事業所にちゃんと席はあります、そこで仕事をすることももちろんあります。だけどそれに付随して、様々な場所で ICT 機器を利用して仕事をしている比率だということなのです。ですから、これは在宅勤務比率ではありません。それこそ日本でよく新幹線に乗ると、大体みんな座席で、お酒を飲んでいる人もいますけれども、一生懸命パソコンに向かってガチャガチャとやっている人もいますよね。こういうのも全部入れた数字だと思っていいのではないかと思います。

そういういつでもどこでも働くということのメリットとして、1 つはもちろん在宅勤務が念頭ですが、通勤時間の削減だとか、労働時間の柔軟性、ワークライフバランス、そして生産性の向上といったことが挙げられています。面白いことに、日本だと検討会でも議論になりましたし、いろんなところで、テレワークすると生産性が落ちたという話がいっぱい出てくるのですね。ところが、少なくとも日本以外におけるテレワークの話では、テレワークのおかげで生産性が向上したというような話はいっぱい出てくるのですが、テレワークのおかげで生産性が下がったという話はほとんど出てきません。

この辺は、どうも日本とそれ以外の国の、テレワーク以前の職場での仕事の進め方の違いがやはり大きいのではないかと思えてなりません。それこそやはり大部屋にいて、何かあると「おーい、濱口君、ちょっとこっちに来たまえ」とかですね、何か気がついたらこの辺で話そうとか、そういうのがあるというのが影響しているのかなと思います。この辺、仕事の仕方の社会学といったような、そういう観点からの分析というのが必要なのではないかと思われるところです。テレワークの問題、特に生産性とテレワークの関係といったことを論じるのであれば、そうした日本とそれ以外の諸国での仕事の進め方の違いといったことが、やはり重要なポイントになるのではないでしょうか。諸外国のいろんな研究成果などを見るにつけ、やはりそういう思いが出てきます。ただ、今日はしません、それを展開するだけの用意もしておりませんし、日本と世界のテレワークの状況をお話しするにとどめます。

一方これに対して、デメリットとしては、やはり長時間労働が上がってきます。テレワークしていると、長時間労働になるというのは、これは日本であろうがどこの国であろうが、やっぱり共通の現象のようであります。また、仕事と家庭の境界が不分明になるというのも、いろんなところで指摘をされているようです。

これは、先ほど申し上げたように 2017 年に出た報告書なのですね。ですから、ILO の最初に申し上げた世代論でいうと、第 2 世代、第 3 世代に着目しています。もう在宅勤務は古いのだよと、別に古いわけではないのですが、今や最先端は在宅勤務じゃないのだよ、いつでもどこでも働けるのだよといった感じのものを分析対象としたのが、この 2017 年のいつでもどこでも働くというタイトルの報告書だったわけです。

2　コロナ禍における EU のテレワーク状況

ところが、2020 年から世界中に広がったコロナ禍によって、これもまた、日本だけでなく世界中どこでもそうだったと思うのですが、今までホームオフィスもやっていないし、ましてモバイルオフィスもあんまりやっていなかった多くの人たちが、いきなりロックダウンだ、ステイホームだというわけで、急に家で仕事をしろという事態になってしまったわけです。これもまた、世界共通の状況だったのではないかと思われます。

そうした状況についての実態報告は、日本については本日冒頭で紹介したように、JILPT がパネル調査で企業と労働者個人双方にわたって、テレワークに限らずコロナ禍に関連する雇用労働問題の状況を調査してきておりますし、諸外国でも同様の調査が行われております。EU でも、EU 労研機構がコロナ関連の労働状況を調査して累次の報告書にまとめてきています。

そのうち、昨年 2020 年の 9 月に『生活、労働と新型コロナ（Living, working and COVID-19)』というタイトルの報告書が刊行されておりまして、その第 5 章がテレワークを扱っています。

それから、同じ EU 労研機構の出しているディスカッションペーパーで、『テレワーカビリティとコロナ禍：新たなデジタルデバイドか？（Teleworkability and the COVID-19 crisis: a new digital divide?)』というのがあり、これは職種ごとにテレワーカビリティがどうなのかを、かなり細かく論じたものなのですが、この 2 つが当面、EU における今回のコロナ禍におけるテレワークの状況についてまとまったものなので、以下その内容をざっと紹介していきたいと思います。

それによると、コロナ禍直前の 2019 年には、フル在宅勤務というのは 3.2%、部分在宅勤務を併せても 11% に過ぎなかったようです。それが、コロナ禍の 2020 年の 7 月には、フル在宅勤務が 33.7% にのぼり、ほぼ 10 倍になったのですね、部分在宅勤務を併せたら 47.9%、半分近くに膨れ上がったということです。これは、おそらく世界共通の現象だったのではないかと思います。産業別に見ると、教育・金融・公務が 70 ～ 80% に達しているのに対して、運輸・医療介護・商業・宿泊飲食は 20% 台にとどまっています。

EU 労研機構の報告書が、2020 年のコロナ禍でのテレワークの状況について、どういうふうに評価しているかというと、在宅勤務というのが非常に不均衡にアンバランスな形で、都会在住のホワイトカラーの高学歴で、高所得のサービス分野の労働者に偏ってしまっている。ここに、労働者間の階層格差というのが非常に

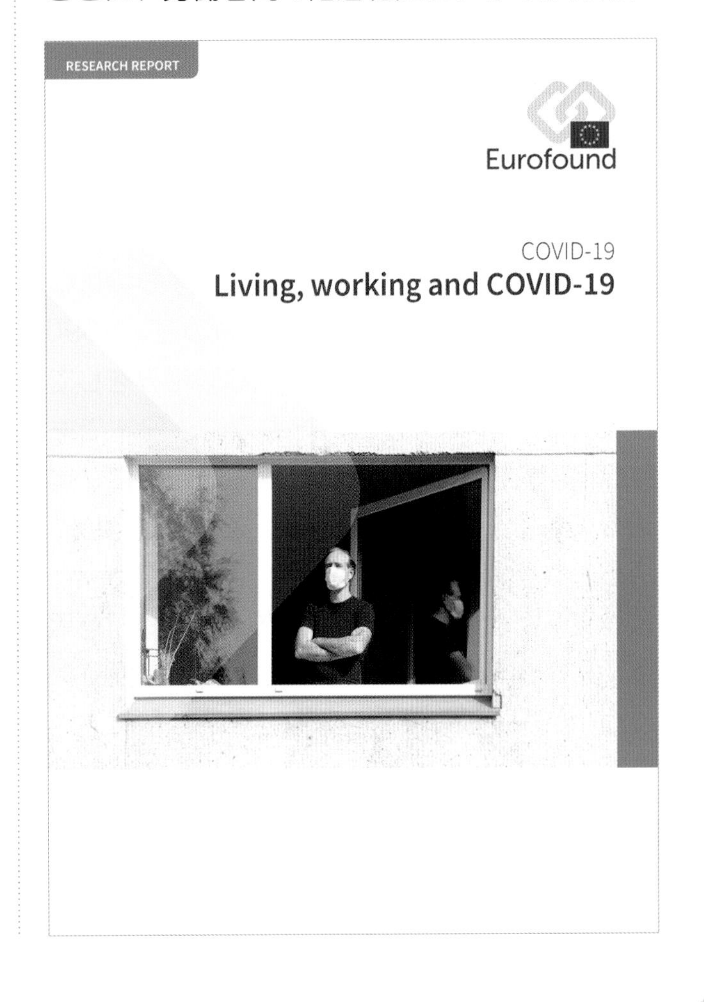

はっきりと表れているということを、非常に大きな問題として指摘をしています。

これは、根っこのメカニズム自体はおそらく日本でも同じだろうと思うのですが、日本の場合は、同じ仕事をしていても正規と非正規の格差という形で前面に出てくるのですが、ヨーロッパの場合、まさにそれが職種の格差という形で露呈するのでしょう。そして、職種というものが労働社会の基本構造をなしているヨーロッパ社会においては、その職種というのがまさに学歴とか職業資格といったものによって直接的に規定されており、それがまさに労働者間の階層格差そのものとして意識されるという構造が、非常に強く出ているのではないかと思われます。

一方、労働者のほうから見ると、この在宅勤務者の満足度というのは非常に高いようです。外出制限がなくなっても続けたいという希望を持っている人が、非常に多いと書かれていました。これが、昨年のコロナ禍での EU の全体的な状況の報告です。

3　EU テレワーク協約

さて、EU はこのテレワークというものについて、20 年以上前から関心を持って、1990 年代後半あたりから、さまざまな取組みをしてきております。先ほど見たように、日本でも 1990 年代半ばから後半にかけての時期に、当時の労働省と郵政省が推進会議をやったりしていることを考えると、ほぼ時代的には同時期と言っていいと思われます。ただ、その問題意識は、1 つは柔軟な労働組織への転換が必要であるという問題意識であり、もう一つは情報通信技術による知識社会への転換、この 2 つの問題意識のいわばクロスするところで、テレワークというものをいかに推進していくかと、こういう問題意識が高まってきておりました。

そして、ちょうど世紀の変わり目の 2000 年に、行政府たる欧州委員会の雇用社会総局、日本の厚生労働省に当たるところですが、ここが雇用関係の現代化に関する労使協議を EU レベルの労使団体に対して行いました。このときは、実は中身はテレワークだけではありませんでした。テレワークと経済的従属労働者という、2 つのトピックについて協議を行ったのです。

経済的従属労働者というのは何かというと、これは前回、年度末の特別講座の 1 回目にお話をしたフリーランスのことです。彼らは雇用契約ではないので、法的な意味での支配従属関係にはないけれども、取引先に経済的に従属しているという観点から、「経済的従属労働者」と呼んでいるわけです。当時はまだまだプラットフォームとかクラウドとかといった最近話題のバズワードはなかったのですが、情報通信技術の発展によって雇用においても雇用の外側においても新たな働き方が増えてきつつあるという認識は一般的に広がりつつあった時代です。そういう状況下で、テレワークと経済的従属労働者という二題話のような形で、2 つ併せて労使団体に協議をしたのです。

ところがこれに対しては、とりわけ経済団体側が、経済的従属労働者などという、曖昧な概念では受けることはできないといって断りました。なので、そちらは動きが止まってしまったのですが、テレワークの方については、これはこれからの非常に重要な課題だということで、経済団体の方も受入れました。そして、EU レベルの労使団体、具体的には欧州労連と欧州経団連、加えて欧州中小企業家協会、欧州公企業協会の間で交渉が行われ、2002 年 7 月、これも 20 年近く前になりますが、EU テレワーク協約が締結に至りました。

この EU テレワーク協約については、かつて詳しく紹介したこともありますが、基本的には、テレワークの自発性であるとか、テレワークしない人たちと同一の雇用条件であること、データ保護、プライバシーの尊重、機材費用の負担、安全衛生、労働組織、訓練、集団的権利等々を規定しております。もっとも、これはEUレベルの自律的協約であって、それ自体としては法的拘束力がないのですね。EUレベル労使団体に加盟している各国の労使によって施行されるということになっています。

具体的にどういう形でやっているかというと、まず全国労働協約を拡張適用しているのが5か国あります。この場合、各国レベルでまず全国労働協約を締結し、例えばフランスであれば労働組合と経営団体のナショナルセンター間で職際協定といわれる協約を結び、その結んだ全国協約を政府がアレテといわれる行政命令で拡張適用します。拡張適用とは、ドイツでは一般的拘束力と言いますが、本来その団体の傘下の企業や労働者にのみ適用されるはずの私的な団体同士の協約を、政府の行政行為によってその内容を経営団体や労働組合に入っていない企業や労働者にも全員に適用しますよというものです。そういうやり方を取っている国が、フランスやベルギーなど5カ国あるという状況であります。

そんな拡張適用などということをせずに、ナショナルセンター間の全国協約のみでやっているのがイタリアです。それから産別協約のみ、規範的効力がある産別協約のみでやっているのがデンマークで、規範的効力のない産別協約でやっているのがスペインとフィンランドの2か国です。さらに、オランダ、スウェーデン、ドイツといった諸国は、もう少し格落ちして労使の指針や勧告でやっているようです。

一方、面白いのは東欧5カ国です。ポーランドやハンガリーといった東欧諸国は国法でやっています。なぜかというと、ここはもともと共産圏なのですね。共産圏なので、労働組合といっても元々共産党の下部機関みたいなところだったし、企業も国営なので独立した経営団体もなく、結局政労使といったって、政も労も使も実は全部共産党の一部みたいなものだったので、労使団体がまともに育っていないのですね。なので、全国レベルの労使団体で何かやれといっても、結局それは国がやるのと一緒だという感じなのかもしれません。そういうことで東欧諸国は、EUレベルの協約を国のレベルでは法律で施行しているという、そういう形になっております。

4　EUデジタル化自律協約

この2002年のテレワーク協約は、今でも存在し、生きています。しかしごく最近、2020年の6月ですから、まさにコロナ禍の真っ最中で、どこもまだロックダウンの真っ最中だったのではないかと思いますが、2020年6月の段階で、EUレベルの労使団体、すなわち欧州労連や欧州経団連が、再度、デジタル化に関する枠組み協約なるものを締結しています。

ここには、デジタル技能と雇用の確保だとか、つながることとつながらないことだとか、AIと人間によるコントロールの原則だとか、人間の尊厳の尊重と監視だとかいったことが、縷々書いてあります。また、テレワークについては時間外の接触を避ける文化、時間外に接触できないことで労働者が不利益を被らないよう、責めない文化というのが重要なのだというようなことも書いてあります。

一方で、勤務時間内に私的目的でデジタル機器を使用することについてのルールの明確化も必要ではないかというようなことが書いてあります。これは日本でも結構ありそうな気がします。

5　EU労働時間指令とテレワーク

さて、日本の法政策の話の中ではテレワークへの労働時間規制の適用が重要な問題でしたが、このことはEUでも共通の問題です。EUでは、1993年に労働時間指令が採択されており、これが加盟各国の労働時間規制の基準となっています。各国はこれに従って国内法を制定しなければなりません。その具体的内容としては、1日11時間の休息時間、いわゆるインターバル規制ですね、それと週24時間の週休、それから週48時間の労働時間の上限、これは時間外も含めて週48時間以内にしなければならないというものですが、こういった規定が入っております。

適用除外は、少なくとも指令上は経営管理者、または自律的意思決定権限を有する者が規定されています。これは全面適用除外なのですね。それに対して、幾つかの公益的な業務については、休息時間とか週休の適用除外というのがあるのですが、その場合も同等の代償休息が必要だというふうになっています。これが、EU労働時間指令の基本的な枠組みです。

その中で一昨年の2019年の5月に、EU司法裁判所が極めてインパクトの大きい判決を下しました。ここでEU司法裁判所について簡単に説明しておきますと、EUというのは単なる国際機関ではなくて、立法、行政、司法の3権をもった超国家機関という性格があります。つまり、加盟各国を拘束する指令をつくるというのは立法で、欧州議会と閣僚理事会がその立法府に当たりますし、行政府に当たるのは前述した欧州委員会で、さらに条約や指令をめぐって何か紛争が生じたときに、その解釈について最終的に判断を下す権限を持つ司法府として、EU司法裁判所というものが置かれているのです。言い換えれば、少なくともEU指令という形でEUが権限を持っている領域については、各国の中の地裁、高裁、最高裁の上に、国レベルの最高裁の上位審として、EU司法裁判所が存在しており、そこが下した判決は、当該その事案に限らず、その指令のその部分の解釈に関する限り全加盟国の裁判所を拘束することになります。一言で言えば、それくらい権威のある偉いところだということです。

そこが、2019年5月に、CCOO事件である判決を下したのです。CCOOって何かというと、これはスペインの労働組合なのですが、そこがスペインの労働時間法制がEU指令に違反していると訴えたのです。スペインの法律では、労働時間の記録を1週間分丸めてやっていいという風になっていたらしくて、それはおかしいだろうと、労働時間の記録というのは、毎日きっちりしなければならないのではないかという、そういう訴えをCCOO労組がスペインの裁判所に訴え、労働時間法制というのは、EU労働時間指令に基づいているので、全部最終的にはEU司法裁判所に聞かなければならないということで、そこにお伺いを立てたわけです。お伺いというか、事案を付託したわけですね。そうしたら、一昨年2019年5月のEU司法裁判所判決は、使用者は労働者ごとに、毎日労働時間を記録する仕組みを設けなければならないという判決を下しました。これ自体はまことにもっともな判断だと言えるでしょう。

ところが、これをテレワークにどう当て嵌めるのかというのは、結構難題になります。日本でも先ほど見たガイドラインでは、自己申告で把握するとかデジタル機器で把握するといったことが書かれていましたが、自己申告で本当にいいのかとか、使用者が労働者の使っているデジタル機器の動きを監視する必要があるのか、といった問題が出てきます。しかし、そもそも、労働者が自宅でデジタル機器を使っているかどうかというのを、使用者が監視すること自体がプライバシーの侵害ではないのかという問題も出てきます。この問題が深刻なのは、個人情報保護とか、プライバシーということに関しては、ヨーロッパは、日本以上に非常に神経質な問題意識の強い領域なのですね。なので、この判決は一瞥しただけでは、労働時間指令の細かな解釈を下しただけに見えるのですが、さてこれを具体的に実践しようとすると、何をどのようにすればよいのかということが、大きな問題になってくるのです。

6 欧州議会による「つながらない権利」指令案勧告

一方で、EUには欧州議会という立法府があるのですが、そこが「つながらない権利」についての指令案に向けた欧州委員会への勧告という決議を採択しています。これは、ほんの2か月前の2021年1月のことなので、まだほやほやの情報です。

立法府なのに、指令案に向けた勧告の決議というのはよく分からないかもしれません。実は、EU条約上、指令案は行政府たる欧州委員会しか提案できないのです。欧州議会は自分で指令案を出せないのです。つまり、EUには議員立法というものはないのです。議員立法がないので、政府提案しかないのです。従って、指令案を出せるのは欧州委員会だけなのですが。とはいえ、欧州議会としては、立法提案をしたいときもある。そういうときにはどうするかというと、こういう指令案を出せと欧州委員会に求める内容の勧告を欧州議会の決議として採択するというやり方をとるわけです。ちょっと話が複雑ですけれども、そういう複雑な仕組みの中で、実体的には欧州議会による指令案の提案に相当する内容のものが、立法提案権を有する欧州委員会に対する勧告という形式をとって採択されたということになります。それが、この「つながらない権利」に関する欧州委員会への勧告に係る決議ということになります。

この「つながらない権利」、英語で言うと「right to disconnect」ですが、労働時間外において、直接、間接を問わず、デジタル機器を用いて、作業関連活動または通信に関与しないことを意味すると定義されています。そして、加盟国は労働者がこのつながらない権利を行使するための手段、デジタル機器のスイッチを切る仕組みなどを使用者が提供するよう確保しなければならないとか、労働者がつながらない権利を行使したことによる不利益取扱いを禁止すべきだといったことを、この指令案という形を取った勧告の中に書き込んでいます。

この決議が採択された欧州議会の1月の本会議において、欧州委員会のシュミット労働担当委員が呼ばれています。彼は厚生労働大臣に当たる人ですが、この勧告が採択された場で、何か一言と言われて、なにを言ったのか。はい、勧告はいただきました。ただ、これは、我々が指令案を出すよりも、ぜひこれは労使団体、欧州レベルの労使団体の自律協約で対応していただくのがいいのではないか、既にテレワーク協約もあることだし、つい最近もデジタル化協約を締結されたことでもあるし、というようなことをなにやらむにゃむにゃと言っています。自分の方で指令案として提案する気はあまりなさそうです。

ちなみに、このつながらない権利について、この決議文書に参考資料として添付されているEU加盟国における状況の概観というものがあるので、それに基づいて、各国におけるつながらない権利の状況をざっと見ておきましょう。

それによると、現在EU加盟国の中で、つながらない権利について規定を置いているのは4カ国だそうであります。その4カ国のうち、フランスはわりとよく紹介されていますね。フランスでは2016年に、当時のオランド大統領の下でエル・コムリ法という労働法が制定されています。これは、当時の労働大臣がエル・コムリさんという女性なので、その名前をとってエル・コムリ法というのです。

そのエル・コムリ法によって、50人以上規模企業の義務的な年次交渉事項の中に、労働者のつながらない権利を完全に行使する方法というのが追加されたということです。要するに、そういう中堅規模以上の企業では、つながらない権利についてちゃんと毎年の交渉事項にしなさいよという話です。そういう意味では、かなり間接的な規定であって、つながらない権利を法律で定めたというほどのものではなさそうです。それを受けて、つながらない権利を定める企業協約というのが、2020年には1,231件あったということです。で、その中でわりと多いのが、所定時間外アプリが起動されると、使用者と労働者にそれを通知するソフトウエア、あと所定時間外には回線を切断してしまうものもあるのだそうです。

それから、イタリアが2017年の法律第81号という法律によって、使用者と個別労働者との合意により、スマートワーク、イタリア語では「lavoro agile」というらしいのですが、それを導入することが規定されたということです。これは、仕事と家庭生活の両立に資するために、法と労働協約で定める労働時間の上限の範囲内で、勤務場所と労働時間の制限なく、事業場の内外で作業を遂行できる。この個別合意で、労働者が作業機器につながらないことを確保する技術的措置を定めるということだそうです。このスマートワーカーが2019年には48万人いたとのことです。

ベルギーも、2018年の経済成長社会結束強化法という法律によって、安全衛生委員会の設置義務のある50人以上規模企業においては、同委員会でデジタルコミュニケーション機器の利用とつながらない選択肢について交渉する権利があるとされています。これも、別につながらない権利そのものを規定しているわけではなく、交渉する権利という形で規定しているということのようです。

そしてスペインですが、これは先ほどのCCOO判決のもとになった国ですね。ここはEUの一般データ保護規則を国内法化するために制定した組織法の中に、リモートワークや在宅勤務をする者につながらない権利とか、いろんな個人や家族のプライバシーの権利が規定されているということになっているとのことです。ちなみに、このEU一般データ保護規則については、最近かなり注目を集めていまして、最近本屋さんに行って、プライバシーの権利とか、個人情報といった分野の本が並んでいるところに行くと、このEU一般データ保護規則の解説書が山のように積まれています。これはこれで、テレワークに限らず労働問題のいろんな局面で関わってくる問題ではあります。

Ⅳ　諸外国のテレワーク概観

ということで、ようやくわたくしが昨年秋に、厚生労働省雇用環境・均等局のテレワーク検討会で報告をした内容、すなわち英米独仏4か国のテレワークの状況についてお話するところまでたどり着きました。これは、コロナ禍を受けて直ちにJILPTとして立ち上げた研究プロジェクトの一環で、JILPTの研究員4名プラス外部の研究者の計5名で進めておりまして、昨年11月にその概略をテレワーク検討会で報告したものです。その時から数か月が経ち、若干状況が変わった国もあるので、本日は現時点で最新の情報を皆様にお伝えしたいと思います。ただ、以下は、英米独仏各国担当者による報告案に基づいてわたくしが適宜要約してお話しするものなので、その詳細については、来年度の早いうちに刊行される予定のJILPTの報告書を御覧いただければと思います。

なお、各国の担当者は、ドイツがJILPT副主任研究員の山本陽大さん、フランスが明治学院大学准教授の河野奈月さん、イギリスがJILPT研究員の滝原啓允さん、アメリカがJILPT副統括研究員の池添弘邦さんです。

1　ドイツ

まずドイツについて見ていきます。ドイツは昔から、コロナ禍以前は出勤文化というのが強くて、在宅テレワークの実施率は低かったようです。ところが、コロナ禍のさなかの、2020年の7月、8月の段階では、全労働者の36%が在宅テレワークで就労していたといわれています。ただ、これには職種・学歴・地域等で結構ばらつきがあります。ドイツでは、使用者は指揮命令権、これは営業法という法律に基づくのですが、これにより労働の場所を一方的に決定することができ、労働者は特別の根拠、個別合意がない限り、在宅テレワークでの就労を請求する権利は、原則として有しないということになっているそうです。

ほんの2か月前になりますが、2021年1月にモバイルワーク法案というのが公表されておりますが、これはドイツ政府の連邦労働社会省が策定している法案です。そこでは在宅テレワークを含むモバイルワークの実施について、使用者と協議を行う権利というものを、労働者に付与することが提案されております。実をいいますと、これは今の段階ではこうなっていますが、昨年11月の段階で厚生労働省のテレワーク検討会で報告したときは、この一段階前の草案で、ハイル労働社会相という方の意向がかなり強く出ていて、そんな協議権とかいう生ぬるいものではだめだと言って、これは労働者の請求権にすべきだということを強く主張していたのですね。ですので、このバージョンは現時点の最新版です。

厚生労働省のテレワーク検討会の資料として載っているものや、私が報告したときの議事録では、そのハイル労働社会相がモバイルワークをする権利、請求する権利を要求しているけれども、政府部内に反対もあって、どうなるか分からないというようなことを言っているのですが、結局それは行き過ぎだということで、協議をする権利ということに収まったようであります。ここが、ドイツの立法政策として一番注目されていたところでしょう。

一方ドイツでは、憲法上、住居の不可侵性というものがあります。基本法というのは憲法ですが、基本法13条1項でそれが保障されているので、労働者は平時には、在宅テレワークでの就労義務を負わないとされています。ただ、コロナ禍でその義務がどうなるかということについては、いろんな学説があるということです。労働者が、この在宅テレワークに必要な経費、光熱費とか通信費等を支出した場合には、民法670条の準用によって、使用者に対して償還を請求し得るというふうに解されているのですが、ただしこれは任意規定なので、当事者による別途の合意（定額払い）も可能だということです。

日本では、テレワークで県境を越えると最低賃金はどっちが適用されるのかという話があるのですが、ドイツでは基本的に最低賃金は全国一律なので、自宅のある地域と事業所のある地域が離れていても、同一の最低賃金額、2021年1月以降は9.50ユーロですが、それが適用されるので、そういう話はあまり関係ないということです。

労働時間制度について見ますと、ドイツにはいわゆる裁量労働制や、事業場外労働のみなし労働時間制というものはないのですが、信頼労働時間制度というのがあります。これは一体どういうものかと言いますと、労働時間規制はかかっているのだけれども、いつ働き始めていつ働き終わるかということについては、それはもう労働者を信頼して委ねていますよ、というものなのですね。つまり、労働時間のマネジメントは労働者自身に委ねられているのですが、制度的に労働時間をみなしているわけではないし、適用除外しているわけでもないということです。要は、労働者を信頼しているということなのでしょう。

ただ、これと先ほどEUのところでお話ししたCCOO事件のEU司法裁判所判決との関係をどうするかというのが、今ドイツで非常に大きな問題になっているようであります。先ほど見たモバイルワーク法案では、使用者に対して、在宅テレワーカーの全労働時間の記録義務を課すことが提案されているそうであります。これは、CCOO事件のEU司法裁判所判決を受けての対応と考えられるものなのですが、これが先ほどのプライバシーとの関係でどうなのかという問題は、また議論になるかもしれません。

ちなみに、EUレベルで立法化が議論されている「つながらない権利」については、そもそもドイツはさっきみたフランス、ベルギー、イタリア、スペインといったラテン系の諸国と違って、ラテン系の国は「つながらない権利」ということに非常に熱心なようなのですが、ドイツは「つながらない権利」ということに関しては、特段の立法措置は不要だという見解が多数のようです。

なお、労働安全衛生規制については、先ほど見た憲法上の住居の不可侵性から、使用者には労働者の自宅への立入り権というのが当然には認められないということで、作業場規則は一部のみが適用されて、原則適用されないというふうになっているようです。

また、労働災害については、判例上、自宅内での災害で負傷したような場合、職務遂行という目的を持って行われた行動、例えば階段を上り下りする最中に生じたものであれば、労災保険による保護の対象となるけれども、例えば在宅テレワーカーが仕事のために子供を保育園に送迎する途中に生じた災害については、少なくとも今までの判例では、それは保護されないというふうになっているそうであります。ただし、今回のモバイルワーク法案では、そういう子供を保育園に送り迎えする途中に起きた事故も労災保険の対象にしましょうというふうになっているそうで、どうもこれは一種の通勤災害類似みたいな発想なのでしょうかね。

それからやはり、ドイツといえば従業員代表です。ドイツには事業所委員会というのがあって、企業内のいろいろなことを共同決定したり協議を受けたりする権限を持っていますが、それが在宅テレワークをめぐるルールのうち多くの部分については共同決定権を持っているということです。その他、いろいろな話題がありますが、それ以上詳しいことは近刊の報告書を御覧下さい。

2　フランス

次にフランスです。フランスは、先ほど見たEUの2002年テレワーク協約を受けて、2005年にテレワークに関する全国職際協定というのを締結しています。「職際」というのは、英語で言うとインタープロフェッショナル、職業を超えて、ということですが、実際は産業を超えたということで、要するに産別の上のレベルの、ナショナルセンターレベルの協定ということですが、そういう協定が締結をされております。

フランスの場合、そういう協定が拡張適用されて、事実上すべての労働者に適用されていたのですが、これが2012年に法律の条文として書き込まれました。雇用型テレワークに関する規定そのものが、労働法典の中に書き込まれたということであります。

その労働法典の中の規定が、2017年のオルドナンスと、2018年の法律によって改正されたということです。そこにどういうことが書いてあるかというと、テレワークは基本的には合意実施が原則で、労働者が拒否することができるのです。ただ、使用者が憲章とか集団協定でもってテレワークを実施する場合には、労働者のテレワーク希望というものを使用者が拒否する一定の場合には、その理由を説明する義務があります。これを「テレワークの権利」と呼ぶこともあるようですが、別にテレワークをする権利というのが規定されているわけではなくて、あくまでも拒否する場合の説明義務に過ぎないということのようであります。もっとも、コロナ禍などの特別の状況下では、テレワークの勤務を命じることができるということです。

テレワーク勤務者は、企業施設で勤務する者と同一の権利を有しますが、かつてはテレワークの費用は全部使用者負担とするという規定が労働法典にあったらしいのですが、それが2017年、2018年の改正で削除されてしまったとのことです。

労働時間規制については、法律上テレワークに関する特則はありません。また、労災保険については、テレワークの労働者が業務遂行中にテレワーク場所で発生した災害は、労働災害と推定する規定があるということです。

3　イギリス

続いてイギリスです。イギリスは、国家統計局によれば、コロナ流行前の2019年には、主にテレワークで仕事に従事しているとした者は約170万人いたけれども、コロナ流行下の2020年4月には、雇用のもとにある者の半数近く、46.6%がテレワークしており、その大多数（86.0%）は、コロナの流行が原因だというふうに回答しているそうであります。

実はイギリスは、法制的に見ると、ある種のテレワークの請求権が認められている数少ない国です。1996年の雇用権法という法律がありますが、この雇用権法が2002年に改正されました。この2002年改正雇用権法により、フレキシブルな働き方を要請する権利、英語で言うと「right to request flexible working」というのが導入されております。

当初は、このフレキシブルワーキングの請求権を行使できるのは、育児や介護等をなす被用者のみに限られていたのですね。ですから、日本でいえば育児・介護休業法の中にテレワーク請求権も入っているというような感じだったのだと思うのですが、それが2014年の改正により、26週間以上継続雇用をされている全ての被用者が、このフレキシブルな働き方を要請する権利があるというふうになったということであります。これはなかなか面白いですね。それまでは、育児・介護休業法の中にテレワーク請求権も入っているという程度のものだったのが、一気に労働基準法の中に入りこんできたかのような感じなのでしょうか。

この被用者の権利というのは、労働時間や就労場所に係るフレキシビリティだということで、26週間雇用継続、まあ大体半年ぐらいですかね、半年勤務したらフレキシブルな働き方を要請できますよとなっています。ただ、申請できるのは12カ月に1回だけということです。ちょっとこの26週間継続勤務で12カ月に1回っていう関係がよく分かりませんけれども、そういうことだそうです。

なお、派遣労働者は請求できないそうです。また、申請は書面でしなければなりません。なにより、これはあくまでも要請する権利なので、要請を受けたからといって認めなければならないわけではなく、使用者はそれについて検討しなければならないという、検討義務があるだけなのですね。検討した結果、拒否することも当然あります。どんな場合に拒否できるかというと、これがなんと9項目にわたって、追加費用があるとか、顧客の需要に対応する能力に悪影響が出るとか、現在の従業員の間で業務を再編成できないとか、従業員の追加採用できないとか、品質が悪化するとか、業績が悪化するとか、その期間に仕事が少ないとか、組織の改編を計画しているとか、その他あれこれ並んでおりまして、これだけ拒否する理由があるのだったら、ことごとく全部拒否できるのではないかという気もしないではないですが、ちょっと実態はどうなっているかよく分かりません。

被用者は、使用者が当該要請を誤った事実に基づいて拒否した場合、また一連の法定の手続を使用者が遵守しなかった場合には、雇用審判所に申立てをなすことができます。雇用審判所はその申立てに十分な理由があると認められる場合、当該要請の再考を命令し、これは面白いですね、再考しろという命令をするのですね。で、使用者から被用者に支払うべき補償金の裁定をなすことができるという規定になっております。

一方、イギリスには ACAS という助言あっせん機関があるのですけれども、新型コロナウイルスの流行のために、テレワークをする場合に、ここが具体的なアドバイスの助言を示しています。どこをどういうふうにしたらいいかということをいろいろ書いていますが、これも近刊の報告書に委ねたいと思います。

4　アメリカ

最後にアメリカです。アメリカでは、従来からテレワークが結構活用されていて、先ほど見た ILO と EU の報告書を見ても、北欧に次いでアメリカでテレワークが盛んであるとなっていました。もっとも、アメリカには、テレワークという働き方自体を規制する法制度というのはなくて、基本的には既存の法令の枠内で対処されているということです。ただ、民間ではそうなのですが、公務部門、とりわけ連邦政府職員については、過去 20 年超にわたり、法令に基づいて在宅勤務が推進されているということであります。

アメリカの法律についてみていきますと、まず公正労働基準法、これはニューディールのときにつくられた法律ですけれども、週の法定労働時間を定め、時間外割増賃金の支払いを使用者に義務づけていることから、使用者は在宅勤務者の実労働時間を把握しなければなりません。また、職業安全衛生法の雇用の場所には自宅も含まれるということで、使用者は自宅での就労環境についても、危険がないようにしないといけません。

労災補償法について、実はアメリカの労災補償法というのは連邦法ではなくて、州レベルの立法なのですが、災害が雇用から生じ、かつ雇用の過程において生じた場合、補償の対象としています。これは日本と一緒ですね。したがって、在宅勤務者の自宅における行動の公私の区別というのが問題になります。

また、差別禁止事由に該当する属性の者に対して、他の属性の者と異なって在宅勤務を命じないこと、あるいは命じることは違法になります。日本で差別というと、先ほどの新ガイドラインでもそうでしたけれども、大体いつも、正規と非正規の差別というのが出てきますが、アメリカではもっぱら属性による差別なのですね。常に人種とか性別とかいうのが非常に問題になってきます。この辺はやはり、それぞれのお国柄がよく出てきているなという感じがあります。ちなみに正規、非正規というのは、そもそもアメリカではエンプロイメントアットウィルで、期間の定めがない雇用というのは、いつでもおまえは首だっていったら首になってしまう国なので、そもそも正規、非正規という概念はない国なのですね。

なお、最初に述べた連邦政府のテレワークというのは、Telework Enhancement Act という2010年にできた法律で推進されていて、結構良好なようであります。

5 その他の諸国

以上英米独仏の4か国に加えて、それ以外の諸国でちょっと興味深い情報があったのでせっかくなので付け加えておきます。

オランダでは、2000年に労働時間調整法という法律がつくられて、労働時間の長さに選択の自由が導入されておりますが、これが2015年に改正されて、柔軟労働法となって、働く時間帯及び就業場所についても選択権が導入されました。先ほどイギリスで、働く場所についても請求権という形になったと述べましたが、オランダではこれが選択権という形になっていて、イギリスよりも少し強めの感じもします。もっとも、その場合でも、企業側に裁量権があるので、選択権といっているけれども、実は申請権みたいなものだという説明がされています。これはなかなかトピックスとして面白いのではないかと思います。

フィンランドでは、1996年の労働時間法で、始業・終業時間を3時間移動するということができるという規定が、もとからあったのですが、これが2年前の2019年の改正により、1週間の労働時間40時間のうち、半分の20時間については、従業員がいつどこで働くかを決められるようになったのだそうです。これは、なかなか面白い法律だなと思います。

参考文献

アルビン・トフラー(1980)「第三の波」日本放送出版協会.

厚生労働省(2020)「「これからのテレワークでの働き方に関する検討会」報告書」(令和2年12月25日).

厚生労働省(2021)「テレワークの適切な導入及び実施の推進のためのガイドライン」(令和3年3月25日).

中井雅之(2020a)「JILPT新型コロナウイルス感染症が企業経営に及ぼす影響に関する調査【6月調査】(一次集計)結果」(連続パネル企業調査). https://www.jil.go.jp/press/documents/20200716.pdf

中井雅之(2020b)「JILPT新型コロナウイルス感染症が企業経営に及ぼす影響に関する調査【10月調査】(一次集計)結果」(連続パネル企業調査). https://www.jil.go.jp/press/documents/20201216.pdf

中井雅之(2021)「JILPT新型コロナウイルス感染症が企業経営に及ぼす影響に関する調査【2月調査】(一次集計)結果(連続パネル企業調査). https://www.jil.go.jp/press/documents/20210430b.pdf

濱口桂一郎(2020)『新型コロナウイルスと労働政策の未来』労働政策研究・研修機構.

三菱UFJリサーチ&コンサルティング(2020)「テレワークの労務管理等に関する実態調査(速報版)」厚生労働省「これからのテレワークでの働き方に関する検討会」資料.

渡邊木綿子(2020a)「JILPT新型コロナウイルス感染拡大の仕事や生活への影響に関する調査(JILPT第1回)【5月調査】(一次集計)結果」(連続パネル個人調査). https://www.jil.go.jp/press/documents/20200610.pdf

渡邊木綿子(2020b)「JILPT新型コロナウイルス感染拡大の仕事や生活への影響に関する調査(JILPT第2回)【8月調査】(一次集計)結果」(連続パネル個人調査). https://www.jil.go.jp/press/documents/20200826.pdf

渡邊木綿子(2021a)「JILPT新型コロナウイルス感染拡大の仕事や生活への影響に関する調査(JILPT第3回)【12月調査】(一次集計)結果」(連続パ

ネル個人調査）. https://www.jil.go.jp/press/documents/20210118.pdf

渡邊木綿子（2021b）「JILPT 新型コロナウイルス感染拡大の仕事や生活への影響に関する調査（JILPT第4回）【3月調査】（一次集計）結果」（連続パネル個人調査）. https://www.jil.go.jp/press/documents/20210430a.pdf

Ahrendt Daphne, Cabrita Jorge, Clerici Eleonora, Hurley John, Leončikas Tadas, Mascherini Massimiliano, Riso Sara, Sándor Eszter(2020) “Living, working and COVID-19” Eurofound.

Jon C. Messenger（2019）“Telework in the 21st century: An evolutionary perspective” The ILO Future of Work, Edward Elgar Pub.

Messenger Jon, Vargas Llave Oscar, Gschwind Lutz, Boehmer Simon, Vermeylen Greet, Wilkens Mathijn（2017）“Working anytime, anywhere: The effects on the world of work” Eurofound, ILO.

SOSTERO Matteo, MILASI Santo, HURLEY John, FERNANDEZ MACIAS Enrique, BISELLO Martina（2020）“Teleworkability and the COVID-19 crisis: a new digital divide?” Eurofound.

参考資料

厚生労働省「テレワークの適切な導入及び実施の推進のためのガイドライン」

(2021年3月25日公表)

1　趣旨

労働者が情報通信技術を利用して行う事業場外勤務（以下「テレワーク」という。）には、オフィスでの勤務に比べて、働く時間や場所を柔軟に活用することが可能であり、通勤時間の短縮及びこれに伴う心身の負担の軽減、仕事に集中できる環境での業務の実施による業務効率化につながり、それに伴う時間外労働の削減、育児や介護と仕事の両立の一助となる等、労働者にとって仕事と生活の調和を図ることが可能となるといったメリットがある。

また、使用者にとっても、業務効率化による生産性の向上にも資すること、育児や介護等を理由とした労働者の離職の防止や、遠隔地の優秀な人材の確保、オフィスコストの削減等のメリットがある。

テレワークは、ウィズコロナ・ポストコロナの「新たな日常」、「新しい生活様式」に対応した働き方であると同時に、働く時間や場所を柔軟に活用することのできる働き方として、更なる導入・定着を図ることが重要である。

本ガイドラインは、使用者が適切に労務管理を行い、労働者が安心して働くことができる良質なテレワークを推進するため、テレワークの導入及び実施に当たり、労務管理を中心に、労使双方にとって留意すべき点、望ましい取組等を明らかにしたものである。本ガイドラインを参考として、労使で十分に話し合いが行われ、良質なテレワークが導入され、定着していくことが期待される。

2　テレワークの形態

テレワークの形態は、業務を行う場所に応じて、労働者の自宅で行う在宅勤務、労働者の属するメインのオフィス以外に設けられたオフィスを利用するサテライトオフィス勤務、ノートパソコンや携帯電話等を活用して臨機応変に選択した場所で行うモバイル勤務に分類される。テレワークの形態ごとの特徴として以下の点が挙げられる。

① 在宅勤務

通勤を要しないことから、事業場での勤務の場合に通勤に要する時間を柔軟に活用できる。また、例えば育児休業明けの労働者が短時間勤務等と組み合わせて勤務することが可能となること、保育所の近くで働くことが可能となること等から、仕事と家庭生活との両立に資する働き方である。

② サテライトオフィス勤務

自宅の近くや通勤途中の場所等に設けられたサテライトオフィス（シェアオフィス、コワーキングスペースを含む。）での勤務は、通勤時間を短縮しつつ、在宅勤務やモバイル勤務以上に作業環境の整った場所で就労可能な働き方である。

③ モバイル勤務

労働者が自由に働く場所を選択できる、外勤における移動時間を利用できる等、働く場所を柔軟にすることで業務の効率化を図ることが可能な働き方である。

このほか、テレワーク等を活用し、普段のオフィスとは異なる場所で余暇を楽しみつつ仕事を行う、いわゆる「ワーケーション」についても、情報通信技術を利用して仕事を行う場合には、モバイル勤務、サテライトオフィス勤務の一形態として分類することができる。

3 テレワークの導入に際しての留意点

(1) テレワークの推進に当たって

テレワークの推進は、労使双方にとってプラスなものとなるよう、働き方改革の推進の観点にも配意して行うことが有益であり、使用者が適切に労務管理を行い、労働者が安心して働くことのできる良質なテレワークとすることが求められる。

なお、テレワークを推進するなかで、従来の業務遂行の方法や労務管理の在り方等について改めて見直しを行うことも、生産性の向上に資するものであり、テレワークを実施する労働者だけでなく、企業にとってもメリットのあるものである。

テレワークを円滑かつ適切に、制度として導入し、実施するに当たっては、導入目的、対象業務、対象となり得る労働者の範囲、実施場所、テレワーク可能日（労働者の希望、当番制、頻度等）、申請等の手続、費用負担、労働時間管理の方法や中抜け時間の取扱い、通常又は緊急時の連絡方法等について、あらかじめ労使で十分に話し合い、ルールを定めておくことが重要である。

(2) テレワークの対象業務

例えば、いわゆるエッセンシャルワーカーなどが従事する業務等、その性格上テレワークを実施することが難しい業種・職種があると考えられるが、一般にテレワークを実施することが難しいと考えられる業種・職種であっても個別の業務によっては実施できる場合があり、必ずしもそれまでの業務の在り方を前提にテレワークの対象業務を選定するのではなく、仕事内容の本質的な見直しを行うことが有用な場合がある。テレワークに向かないと安易に結論づけるのではなく、管理職側の意識を変えることや、業務遂行の方法の見直しを検討することが望ましい。なお、オフィスに出勤する労働者のみに業務が偏らないよう、留意することが必要である。

(3) テレワークの対象者等

テレワークの契機は様々であり、労働者がテレワークを希望する場合や、使用者が指示する場合があるが、いずれにしても実際にテレワークを実施するに当たっては、労働者本人の納得の上で、対応を図る必要がある。

また、短時間労働者及び有期雇用労働者の雇用管理の改善等に関する法律（平成5年法律第76号）及び労働者派遣事業の適正な運営の確保及び派遣労働者の保護等に関する法律（昭和60年法律第88号）に基づき、正規雇用労働者と非正規雇用労働者との間で、あらゆる待遇について不合理な待遇差を設けてはならないこととされている。

テレワークの対象者を選定するに当たっては、正規雇用労働者、非正規雇用労働者といった雇用形態の違いのみを理由としてテレワーク対象者から除外することのないよう留意する必要がある。

派遣労働者がテレワークを行うに当たっては、厚生労働省ホームページに掲載している「派遣労働者等に係るテレワークに関するQ&A」を参照されたい。

雇用形態にかかわらず、業務等の要因により、企業内でテレワークを実施できる者に偏りが生じてしまう場合においては、労働者間で納得感を得られるよう、テレワークを実施する者の優先順位やテレワークを行う頻度等について、あらかじめ労使で十分に話し合うことが望ましい。

また、在宅での勤務は生活と仕事の線引きが困難になる等の理由から在宅勤務を希望しない労働者について、サテライトオフィス勤務やモバイル勤務を利用することも考えられる。

特に、新入社員、中途採用の社員及び異動直後の社員は、業務について上司や同僚等に聞きたいことが多く、不安が大きい場合がある。このため、業務を円滑に進める観点から、テレワークの実施に当たっては、コミュニケーションの円滑化に特段の配慮をすることが望ましい。

(4) 導入に当たっての望ましい取組

テレワークの推進に当たっては、以下のような取組を行うことが望ましい。

- 既存業務の見直し・点検

  テレワークをしやすい業種・職種であっても、不必要な押印や署名、対面での会議を必須とする、資料を紙で上司に説明する等の仕事の進め方がテレワークの導入・実施の障壁となっているケースがある。そのため、不必要な押印や署名の廃止、書類のペーパーレス化、決裁の電子化、オンライン会議の導入等が有効である。また、職場内の意識改革をはじめ、業務の進め方の見直しに取り組むことが望ましい。

- 円滑なコミュニケーション

  円滑に業務を遂行する観点からは、働き方が変化する中でも、労働者や企業の状況に応じた適切なコミュニケーションを促進するための取組を行うことが望ましい。職場と同様にコミュニケーションを取ることができるソフトウェア導入等も考えられる。

- グループ企業単位等での実施の検討

  職場の雰囲気等でテレワークを実施することが難しい場合もあるため、企業のトップや経営層がテレワークの必要性を十分に理解し、方針を示すなど企業全体として取り組む必要がある。また、職場での関係や取引先との関係により、一個人、一企業のみでテレワークを推進することが困難な場合がある。そのため、グループ企業や、業界単位などを含めたテレワークの実施の呼びかけを行うことも望ましい。

4 労務管理上の留意点

(1) テレワークにおける人事評価制度

テレワークは、非対面の働き方であるため、個々の労働者の業務遂行状況や、成果を生み出す過程で発揮される能力を把握しづらい側面があるとの指摘があるが、人事評価は、企業が労働者に対してどのような働きを求め、どう処遇に反映するかといった観点から、企業がその手法を工夫して、適切に実施することが基本である。

例えば、上司は、部下に求める内容や水準等をあらかじめ具体的に示しておくとともに、評価対象期間中には、必要に応じてその達成状況について労使共通の認識を持つための機会を柔軟に設けることが望ましい。特に行動面や勤務意欲、態度等の情意面を評価する企業は、評価対象となる具体的な行動等の内容や評価の方法をあらかじめ見える化し、示すことが望ましい。

加えて、人事評価の評価者に対しても、非対面の働き方において適正な評価を実施できるよう、評価者に対する訓練等の機会を設ける等の工夫が考えられる。

また、テレワークを実施している者に対し、時間外、休日又は所定外深夜（以下「時間外等」という。）のメール等に対応しなかったことを理由として不利益な人事評価を行うことは適切な人事評価とはいえない。

なお、テレワークを行う場合の評価方法を、オフィスでの勤務の場合の評価方法と区別する際には、誰もがテレワークを行えるようにすることを妨げないように工夫を行うとともに、あらかじめテレワークを選択しようとする労働者に対して当該取扱いの内容を説明することが望ましい。（テレワークの実施頻度が労働者に委ねられている場合などにあっては）テレワークを実施せずにオフィスで勤務していることを理由として、オフィスに出勤している労働者を高く評価すること等も、労働者がテレワークを行おうとすることの妨げになるものであり、適切な人事評価とはいえない。

(2)　テレワークに要する費用負担の取扱い

テレワークを行うことによって労働者に過度の負担が生じることは望ましくない。個々の企業ごとの業務内容、物品の貸与状況等により、費用負担の取扱いは様々であるため、労使のどちらがどのように負担するか、また、使用者が負担する場合における限度額、労働者が使用者に費用を請求する場合の請求方法等については、あらかじめ労使で十分に話し合い、企業ごとの状況に応じたルールを定め、就業規則等において規定しておくことが望ましい。特に、労働者に情報通信機器、作業用品その他の負担をさせる定めをする場合には、当該事項について就業規則に規定しなければならないこととされている（労働基準法（昭和22年法律第49号）第89条第5号）。

在宅勤務に伴い、労働者個人が契約した電話回線等を用いて業務を行わせる場合、通話料、インターネット利用料などの通信費が増加する場合や、労働者の自宅の電気料金等が増加する場合、実際の費用のうち業務に要した実費の金額を在宅勤務の実態（勤務時間等）を踏まえて合理的・客観的に計算し、支給することも考えられる。

なお、在宅勤務に係る費用負担等に関する源泉所得税の課税関係については、国税庁が作成した「在宅勤務に係る費用負担等に関するFAQ（源泉所得税関係）」（令和3年1月15日）を参照されたい。

(3)　テレワーク状況下における人材育成

テレワークを推進する上で、社内教育等についてもオンラインで実施することも有効である。オンラインでの人材育成は、例えば、「他の社員の営業の姿を大人数の後輩社員がオンラインで見て学ぶ」「動画にしていつでも学べるようにする」等の、オンラインならではの利点を持っているため、その利点を活かす工夫をすることも有用である。

このほか、テレワークを実施する際には、新たな機器やオンライン会議ツール等を使用する場合があり、一定のスキルの習得が必要となる場合があることから、特にテレワークを導入した初期あるいは機材を新規導入したとき等には、必要な研修等を行うことも有用である。

また、テレワークを行う労働者について、社内教育や研修制度に関する定めをする場合には、当該事項について就業規則に規定しなければならないこととされている（労働基準法第89条第7号）。

(4)　テレワークを効果的に実施するための人材育成

テレワークの特性を踏まえると、勤務する時間帯や自らの健康に十分に注意を払いつつ、作業能率を勘案して、自律的に業務を遂行できることがテレワークの効果的な実施に適しており、企業は、各労働者が自律的に業務を遂行できるよう仕事の進め方の工夫や社内教育等によって人材の育成に取り組むことが望ましい。

併せて、労働者が自律的に働くことができるよう、管理職による適切なマネジメントが行われることが重要であり、テレワークを実施する際にも適切な業務指示ができるようにする等、管理職のマネジメント能力向上に取り組むことも望ましい。例えば、テレワークを行うに当たっては、管理職へのマネジメント研修を行うことや、仕事の進め方として最初に大枠の方針を示す等、部下が自律的に仕事を進めることができるような指示の仕方を可能とすること等が考えられる。

5　テレワークのルールの策定と周知

(1)　労働基準関係法令の適用

労働基準法上の労働者については、テレワークを行う場合においても、労働基準法、最低賃金法（昭和 34 年法律第 137 号）、労働安全衛生法（昭和 47 年法律第 57 号）、労働者災害補償保険法（昭和 22 年法律第 50 号）等の労働基準関係法令が適用される。

(2)　就業規則の整備

テレワークを円滑に実施するためには、使用者は労使で協議して策定したテレワークのルールを就業規則に定め、労働者に適切に周知することが望ましい。

テレワークを行う場所について、労働者が専らモバイル勤務をする場合や、いわゆる「ワーケーション」の場合など、労働者の都合に合わせて柔軟に選択することができる場合には、使用者の許可基準を示した上で、「使用者が許可する場所」においてテレワークが可能である旨を定めておくことが考えられる。

なお、テレワークを行う場所の如何に関わらず、テレワークを行う労働者の属する事業場がある都道府県の最低賃金が適用されることに留意する必要がある。

(3)　労働条件の明示

使用者は、労働契約を締結する際、労働者に対し、就業の場所に関する事項等を明示することとなっており（労働基準法第 15 条、労働基準法施行規則（昭和 22 年厚生省令第 23 号）第 5 条第 1 項第 1 号の 3)、労働者に対し就労の開始日からテレワークを行わせることとする場合には、就業の場所として（2）の「使用者が許可する場所」も含め自宅やサテライトオフィスなど、テレワークを行う場所を明示する必要がある。

また、労働者が就労の開始後にテレワークを行うことを予定している場合には、使用者は、テレワークを行うことが可能である場所を明示しておくことが望ましい。

(4)　労働条件の変更

労働契約や就業規則において定められている勤務場所や業務遂行方法の範囲を超えて使用者が労働者にテレワークを行わせる場合には、労働者本人の合意を得た上での労働契約の変更が必要であること（労働者本人の合意を得ずに労働条件の変更を行う場合には、労働者の受ける不利益の程度等に照らして合理的なものと認められる就業規則の変更及び周知によることが必要であること）に留意する必要がある（労働契約法（平成 19 年法律第 128 号）第 8 条～第 11 条)。

6　様々な労働時間制度の活用

(1)　労働基準法に定められた様々な労働時間制度

労働基準法には様々な労働時間制度が定められており、全ての労働時間制度でテレワークが実施可能である。このため、テレワーク導入前に採用している労働時間制度を維持したまま、テレワークを行うことが可能である。一方で、テレワークを実施しやすくするために労働時間制度を変更する場合には、各々の制度の導入要件に合わせて変更することが可能である。

(2)　労働時間の柔軟な取扱い

ア　通常の労働時間制度及び変形労働時間制

通常の労働時間制度及び変形労働時間制においては、始業及び終業の時刻や所定労働時間をあらかじめ定める必要があるが、テレワークでオフィスに集まらない労働者について必ずしも一律の時間に労働する必要がないときには、その日の所定労働時間はそのままとしつつ、始業及び終業の時刻についてテレワークを行う労働者ごとに自由度を認めることも考えられる。

このような場合には、使用者があらかじめ就業規則に定めておくことによって、テレワークを行う際に労働者が始業及び終業の時刻を変更することができるようにすることが可能である。

イ　フレックスタイム制

フレックスタイム制は、労働者が始業及び終業の時刻を決定することができる制度であり、テレワークになじみやすい制度である。特に、テレワークには、働く場所の柔軟な活用を可能とすることにより、例えば、次のように、労働者にとって仕事と生活の調和を図ることが可能となるといったメリットがあるものであり、フレックスタイム制を活用することによって、労働者の仕事と生活の調和に最大限資することが可能となる。

- 在宅勤務の場合に、労働者の生活サイクルに合わせて、始業及び終業の時刻を柔軟に調整することや、オフィス勤務の日は労働時間を長く、一方で在宅勤務の日は労働時間を短くして家庭生活に充てる時間を増やすといった運用が可能
- 一定程度労働者が業務から離れる中抜け時間についても、労働者自らの判断により、その時間分その日の終業時刻を遅くしたり、清算期間の範囲内で他の労働日において労働時間を調整したりすることが可能
- テレワークを行う日についてはコアタイム（労働者が労働しなければならない時間帯）を設けず、オフィスへの出勤を求める必要がある日・時間についてはコアタイムを設けておくなど、企業の実情に応じた柔軟な取扱いも可能

ウ　事業場外みなし労働時間制

事業場外みなし労働時間制は、労働者が事業場外で業務に従事した場合において、労働時間を算定することが困難なときに適用される制度であり、使用者の具体的な指揮監督が及ばない事業場外で業務に従事することとなる場合に活用できる制度である。テレワークにおいて一定程度自由な働き方をする労働者にとって、柔軟にテレワークを行うことが可能となる。

テレワークにおいて、次の①②をいずれも満たす場合には、制度を適用することができる。

①　情報通信機器が、使用者の指示により常時通信可能な状態におくこととされていないこと

この解釈については、以下の場合については、いずれも①を満たすと認められ、情報通信機器を労働者が所持していることのみをもって、制度が適用されないことはない。

- 勤務時間中に、労働者が自分の意思で通信回線自体を切断することができる場合
- 勤務時間中は通信回線自体の切断はできず、使用者の指示は情報通信機器を用いて行われるが、労働者が情報通信機器から自分の意思で離れることができ、応答のタイミングを労働者が判断することができる場合
- 会社支給の携帯電話等を所持していても、その応答を行うか否か、又は折り返しのタイミングについて労働者において判断できる場合

②　随時使用者の具体的な指示に基づいて業務を行っていないこと

以下の場合については②を満たすと認められる。

- 使用者の指示が、業務の目的、目標、期限等の基本的事項にとどまり、一日のスケジュール（作業内容とそれを行う時間等）をあらかじめ決めるなど作業量や作業の時期、方法等を具体的に特定するものではない場合

(3) 業務の性質等に基づく労働時間制度

裁量労働制及び高度プロフェッショナル制度は、業務遂行の方法、時間等について労働者の自由な選択に委ねることを可能とする制度である。これらの制度の対象労働者について、テレワークの実施を認めていくことにより、労働する場所についても労働者の自由な選択に委ねていくことが考えられる。

7 テレワークにおける労働時間管理の工夫

(1) テレワークにおける労働時間管理の考え方

テレワークの場合における労働時間の管理については、テレワークが本来のオフィス以外の場所で行われるため使用者による現認ができないなど、労働時間の把握に工夫が必要となると考えられる。

一方で、テレワークは情報通信技術を利用して行われるため、労働時間管理についても情報通信技術を活用して行うこととする等によって、労務管理を円滑に行うことも可能となる。

使用者がテレワークの場合における労働時間の管理方法をあらかじめ明確にしておくことにより、労働者が安心してテレワークを行うことができるようにするとともに、使用者にとっても労務管理や業務管理を的確に行うことができるようにすることが望ましい。

(2) テレワークにおける労働時間の把握

テレワークにおける労働時間の把握については、「労働時間の適正な把握のために使用者が講ずべき措置に関するガイドライン」（平成 29 年 1 月 20 日基発 0120 第 3 号。以下「適正把握ガイドライン」という。）も踏まえた使用者の対応として、次の方法によることが考えられる。

ア 客観的な記録による把握

適正把握ガイドラインにおいては、使用者が労働時間を把握する原則的な方法として、パソコンの使用時間の記録等の客観的な記録を基礎として、始業及び終業の時刻を確認すること等が挙げられている。情報通信機器やサテライトオフィスを使用しており、その記録が労働者の始業及び終業の時刻を反映している場合には、客観性を確保しつつ、労務管理を簡便に行う方法として、次の対応が考えられる。

① 労働者がテレワークに使用する情報通信機器の使用時間の記録等により、労働時間を把握すること

② 使用者が労働者の入退場の記録を把握することができるサテライトオフィスにおいてテレワークを行う場合には、サテライトオフィスへの入退場の記録等により労働時間を把握すること

イ 労働者の自己申告による把握

テレワークにおいて、情報通信機器を使用していたとしても、その使用時間の記録が労働者の始業及び終業の時刻を反映できないような場合も考えられる。

このような場合に、労働者の自己申告により労働時間を把握することが考えられるが、その場合、使用者は、

① 労働者に対して労働時間の実態を記録し、適正に自己申告を行うことなどについて十分な説明を行うことや、実際に労働時間を管理する者に対して、自己申告制の適正な運用等について十分な説

明を行うこと

② 労働者からの自己申告により把握した労働時間が実際の労働時間と合致しているか否かについて、パソコンの使用状況など客観的な事実と、自己申告された始業・終業時刻との間に著しい乖離があることを把握した場合（※）には、所要の労働時間の補正をすること

③ 自己申告できる時間外労働の時間数に上限を設けるなど、労働者による労働時間の適正な申告を阻害する措置を講じてはならないこと

などの措置を講ずる必要がある。

※　例えば、申告された時間以外の時間にメールが送信されている、申告された始業・終業時刻の外で長時間パソコンが起動していた記録がある等の事実がある場合。

なお、申告された労働時間が実際の労働時間と異なることをこのような事実により使用者が認識していない場合には、当該申告された労働時間に基づき時間外労働の上限規制を遵守し、かつ、同労働時間を基に賃金の支払等を行っていれば足りる。

労働者の自己申告により労働時間を簡便に把握する方法としては、例えば一日の終業時に、始業時刻及び終業時刻をメール等にて報告させるといった方法を用いることが考えられる。

(3) 労働時間制度ごとの留意点

テレワークの場合においても、労働時間の把握に関して、労働時間制度に応じて次のような点に留意することが必要である。

- フレックスタイム制が適用される場合には、使用者は労働者の労働時間については、適切に把握すること
- 事業場外みなし労働時間制が適用される場合には、必要に応じて、実態に合ったみなし時間となっているか労使で確認し、使用者はその結果に応じて業務量等を見直すこと
- 裁量労働制が適用される場合には、必要に応じて、業務量が過大又は期限の設定が不適切で労働者から時間配分の決定に関する裁量が事実上失われていないか、みなし時間と当該業務の遂行に必要とされる時間とに乖離がないか等について労使で確認し、使用者はその結果に応じて業務量等を見直すこと

(4) テレワークに特有の事象の取扱い

ア　中抜け時間

テレワークに際しては、一定程度労働者が業務から離れる時間が生じることが考えられる。

このような中抜け時間については、労働基準法上、使用者は把握することとしても、把握せずに始業及び終業の時刻のみを把握することとしても、いずれでもよい。

テレワーク中の中抜け時間を把握する場合、その方法として、例えば一日の終業時に、労働者から報告させることが考えられる。

また、テレワーク中の中抜け時間の取扱いとしては、

① 中抜け時間を把握する場合には、休憩時間として取り扱い終業時刻を繰り下げたり、時間単位の年次有給休暇として取り扱う

② 中抜け時間を把握しない場合には、始業及び終業の時刻の間の時間について、休憩時間を除き労働時間として取り扱う

ことなどが考えられる。

これらの中抜け時間の取扱いについては、あらかじめ使用者が就業規則等において定めておくことが重要である。

イ　勤務時間の一部についてテレワークを行う際の移動時間

例えば、午前中のみ自宅やサテライトオフィスでテレワークを行ったのち、午後からオフィスに出勤する場合など、勤務時間の一部についてテレワークを行う場合が考えられる。

こうした場合の就業場所間の移動時間について、労働者による自由利用が保障されている時間については、休憩時間として取り扱うことが考えられる。

一方で、例えば、テレワーク中の労働者に対して、使用者が具体的な業務のために急きょオフィスへの出勤を求めた場合など、使用者が労働者に対し業務に従事するために必要な就業場所間の移動を命じ、その間の自由利用が保障されていない場合の移動時間は、労働時間に該当する。

ウ　休憩時間の取扱い

労働基準法第 34 条第 2 項は、原則として休憩時間を労働者に一斉に付与することを規定しているが、テレワークを行う労働者について、労使協定により、一斉付与の原則を適用除外とすることが可能である。

エ　時間外・休日労働の労働時間管理

テレワークの場合においても、使用者は時間外・休日労働をさせる場合には、三六協定の締結、届出や割増賃金の支払が必要となり、また、深夜に労働させる場合には、深夜労働に係る割増賃金の支払が必要である。

このため、使用者は、労働者の労働時間の状況を適切に把握し、必要に応じて労働時間や業務内容等について見直すことが望ましい。

オ　長時間労働対策

テレワークについては、業務の効率化に伴い、時間外労働の削減につながるというメリットが期待される一方で、

- 労働者が使用者と離れた場所で勤務をするため相対的に使用者の管理の程度が弱くなる
- 業務に関する指示や報告が時間帯にかかわらず行われやすくなり、労働者の仕事と生活の時間の区別が曖昧となり、労働者の生活時間帯の確保に支障が生ずる

といったおそれがあることに留意する必要がある。

このような点に鑑み長時間労働による健康障害防止を図ることや、労働者のワークライフバランスの確保に配慮することが求められている。

テレワークにおける長時間労働等を防ぐ手法としては、次のような手法が考えられる。

（ア）　メール送付の抑制等

テレワークにおいて長時間労働が生じる要因として、時間外等に業務に関する指示や報告がメール等によって行われることが挙げられる。

このため、役職者、上司、同僚、部下等から時間外等にメールを送付することの自粛を命ずること等が有効である。メールのみならず電話等での方法によるものも含め、時間外等における業務の指示や報告の在り方について、業務上の必要性、指示や報告が行われた場合の労働者の対応の要否等について、各事業場の実情に応じ、使用者がルールを設けることも考えられる。

（イ）　システムへのアクセス制限

テレワークを行う際に、企業等の社内システムに外部のパソコン等からアクセスする形態をとる場合が多いが、所定外深夜・休日は事前に許可を得ない限りアクセスできないよう使用者が設定することが有効である。

（ウ）　時間外・休日・所定外深夜労働についての手続

通常のオフィス勤務の場合と同様に、業務の効率化やワークライフバランスの実現の観点からテレワークを導入する場合にも、その趣旨を踏まえ、労使の合意により、時間外等の労働が可能な時間帯や時間数をあらかじめ使用者が設定することも有効である。この場合には、労使双方において、テレワークの趣旨を十分に共有するとともに、使用者が、テレワークにおける時間外等の労働に関して、一定の時間帯や時間数の設定を行う場合があること、時間外等の労働を行う場合の手続等を就業規則等に明記しておくことや、テレワークを行う労働者に対して、書面等により明示しておくことが有効である。

（エ）　長時間労働等を行う労働者への注意喚起

テレワークにより長時間労働が生じるおそれのある労働者や、休日・所定外深夜労働が生じた労働者に対して、使用者が注意喚起を行うことが有効である。

具体的には、管理者が労働時間の記録を踏まえて行う方法や、労務管理のシステムを活用して対象者に自動で警告を表示するような方法が考えられる。

（オ）　その他

このほか、勤務間インターバル制度はテレワークにおいても長時間労働を抑制するための手段の一つとして考えられ、この制度を利用することも考えられる。

8　テレワークにおける安全衛生の確保

（1）　安全衛生関係法令の適用

労働安全衛生法等の関係法令等においては、安全衛生管理体制を確立し、職場における労働者の安全と健康を確保するために必要となる具体的な措置を講ずることを事業者に求めており、自宅等においてテレワークを実施する場合においても、事業者は、これら関係法令等に基づき、労働者の安全と健康の確保のための措置を講ずる必要がある。

具体的には、

- 健康相談を行うことが出来る体制の整備（労働安全衛生法第 13 条の 3）
- 労働者を雇い入れたとき又は作業内容を変更したときの安全又は衛生のための教育（労働安全衛生法第 59 条）
- 必要な健康診断とその結果等を受けた措置（労働安全衛生法第 66 条から第 66 条の 7 まで）
- 過重労働による健康障害を防止するための長時間労働者に対する医師による面接指導とその結果等を受けた措置（労働安全衛生法第 66 条の 8 及び第 66 条の 9）及び面接指導の適切な実施のための労働時間の状況の把握（労働安全衛生法第 66 条の 8 の 3）、面接指導の適切な実施のための時間外・休日労働時間の算定と産業医への情報提供（労働安全衛生規則（昭和 47 年労働省令第 32 号）第 52 条の 2）
- ストレスチェックとその結果等を受けた措置（労働安全衛生法第 66 条の 10）

- 労働者に対する健康教育及び健康相談その他労働者の健康の保持増進を図るために必要な措置（労働安全衛生法第69条）

等の実施により、労働者の安全と健康の確保を図ることが重要である。その際、必要に応じて、情報通信機器を用いてオンラインで実施することも有効である。

なお、労働者を雇い入れたとき（雇入れ後にテレワークの実施が予定されているとき）又は労働者の作業内容を変更し、テレワークを初めて行わせるときは、テレワーク作業時の安全衛生に関する事項を含む安全衛生教育を行うことが重要である。

また、一般に、労働者の自宅等におけるテレワークにおいては、危険・有害業務を行うことは通常想定されないものであるが､行われる場合においては､当該危険･有害業務に係る規定の遵守が必要である。

(2) 自宅等でテレワークを行う際のメンタルヘルス対策の留意点

テレワークでは、周囲に上司や同僚がいない環境で働くことになるため、労働者が上司等とコミュニケーションを取りにくい、上司等が労働者の心身の変調に気づきにくいという状況となる場合が多い。

このような状況のもと、円滑にテレワークを行うためには、事業者は、別紙１の「テレワークを行う労働者の安全衛生を確保するためのチェックリスト（事業者用)」を活用する等により、健康相談体制の整備や、コミュニケーションの活性化のための措置を実施することが望ましい。

また、事業者は、事業場におけるメンタルヘルス対策に関する計画である「心の健康づくり計画」を策定することとしており（労働者の心の健康の保持増進のための指針（平成18年公示第３号))、当該計画の策定に当たっては、上記のようなテレワークにより生じやすい状況を念頭に置いたメンタルヘルス対策についても衛生委員会等による調査審議も含め労使による話し合いを踏まえた上で記載し、計画的に取り組むことが望ましい。

(3) 自宅等でテレワークを行う際の作業環境整備の留意点

テレワークを行う作業場が、労働者の自宅等事業者が業務のために提供している作業場以外である場合には、事務所衛生基準規則（昭和47年労働省令第43号)、労働安全衛生規則（一部、労働者を就業させる建設物その他の作業場に係る規定）及び「情報機器作業における労働衛生管理のためのガイドライン｣(令和元年７月12日基発0712第３号)は一般には適用されないが､安全衛生に配慮したテレワークが実施されるよう、これらの衛生基準と同等の作業環境となるよう、事業者はテレワークを行う労働者に教育・助言等を行い、別紙２の「自宅等においてテレワークを行う際の作業環境を確認するためのチェックリスト（労働者用)」を活用すること等により、自宅等の作業環境に関する状況の報告を求めるとともに、必要な場合には、労使が協力して改善を図る又は自宅以外の場所（サテライトオフィス等）の活用を検討することが重要である。

(4) 事業者が実施すべき管理に関する事項

事業者は、労働者がテレワークを初めて実施するときは、別紙１及び２のチェックリストを活用する等により、(1) から (3) までが適切に実施されることを労使で確認した上で、作業を行わせることが重要である。

また、事業者による取組が継続的に実施されていること及び自宅等の作業環境が適切に維持されていることを、上記チェックリストを活用する等により、定期的に確認することが望ましい。

9 テレワークにおける労働災害の補償

テレワークを行う労働者については、事業場における勤務と同様、労働基準法に基づき、使用者が労働災害に対する補償責任を負うことから、労働契約に基づいて事業主の支配下にあることによって生じたテレワークにおける災害は、業務上の災害として労災保険給付の対象となる。ただし、私的行為等業務以外が原因であるものについては、業務上の災害とは認められない。

在宅勤務を行っている労働者等、テレワークを行う労働者については、この点を十分理解していない可能性もあるため、使用者はこの点を十分周知することが望ましい。

また、使用者は、7（2）を踏まえた労働時間の把握において、情報通信機器の使用状況などの客観的な記録や労働者から申告された時間の記録を適切に保存するとともに、労働者が負傷した場合の災害発生状況等について、使用者や医療機関等が正確に把握できるよう、当該状況等を可能な限り記録しておくことを労働者に対して周知することが望ましい。

10 テレワークの際のハラスメントへの対応

事業主は、職場におけるパワーハラスメント、セクシュアルハラスメント等（以下「ハラスメント」という。）の防止のための雇用管理上の措置を講じることが義務づけられており、テレワークの際にも、オフィスに出勤する働き方の場合と同様に、関係法令・関係指針に基づき、ハラスメントを行ってはならない旨を労働者に周知啓発する等、ハラスメントの防止対策を十分に講じる必要がある。

11 テレワークの際のセキュリティへの対応

情報セキュリティの観点から全ての業務を一律にテレワークの対象外と判断するのではなく、関連技術の進展状況等を踏まえ、解決方法の検討を行うことや業務毎に個別に判断することが望ましい。また、企業・労働者が情報セキュリティ対策に不安を感じないよう、総務省が作成している「テレワークセキュリティガイドライン」等を活用した対策の実施や労働者への教育等を行うことが望ましい。

（別紙1）テレワークを行う労働者の安全衛生を確保するためのチェックリスト【事業者用】

1　このチェックリストは、労働者にテレワークを実施させる事業者が安全衛生上、留意すべき事項を確認する際に活用いただくことを目的としています。
2　労働者が安全かつ健康にテレワークを実施する上で重要な事項ですので、全ての項目に☑が付くように努めてください。
3　「法定事項」の欄に「◎」が付されている項目については、労働安全衛生関係法令上、事業者に実施が義務付けられている事項ですので、不十分な点があれば改善を図ってください。
4　適切な取組が継続的に実施されるよう、このチェックリストを用いた確認を定期的（半年に1回程度）に実施し、その結果を衛生委員会等に報告してください。

すべての項目について確認し、当てはまるものに ☑ を付けてください。

項目	法定事項
1　安全衛生管理体制について	
（1）　衛生管理者等の選任、安全・衛生委員会等の開催	
□　業種や事業場規模に応じ、必要な管理者等の選任、安全・衛生委員会等が開催されているか。	◎
□　常時使用する労働者数に基づく事業場規模の判断は、テレワーク中の労働者も含めて行っているか。	◎
□　衛生管理者等による管理や、安全・衛生委員会等における調査審議は、テレワークが通常の勤務とは異なる点に留意の上、行っているか。	
□　自宅等における安全衛生上の問題（作業環境の大きな変化や労働者の心身の健康に生じた問題など）を衛生管理者等が把握するための方法をあらかじめ定めているか。	
（2）　健康相談体制の整備	
□　健康相談を行うことができる体制を整備し、相談窓口や担当者の連絡先を労働者に周知しているか。	
□　健康相談の体制整備については、オンラインなどテレワーク中の労働者が相談しやすい方法で行うことができるよう配慮しているか。	
□　上司等が労働者の心身の状況やその変化を的確に把握できるような取組を行っているか（定期的なオンライン面談、会話を伴う方法による日常的な業務指示等）	
2　安全衛生教育について	
（1）　雇入れ時の安全衛生教育	
□　雇入れ時にテレワークを行わせることが想定されている場合には、雇入れ時の安全衛生教育にテレワーク作業時の安全衛生や健康確保に関する事項を含めているか。	◎
（2）　作業内容変更時教育	
□　テレワークを初めて行わせる労働者に対し、作業内容変更時の安全衛生教育を実施し、テレワーク作業時の安全衛生や健康確保に関する事項を教育しているか。 ※ 作業内容に大幅な変更が生じる場合には、必ず実施してください。	
（3）　テレワーク中の労働者に対する安全衛生教育	
□　テレワーク中の労働者に対してオンラインで安全衛生教育を実施する場合には、令和3年1月25日付け基安安発0125第2号、基安労発0125第1号、基安化発0125第1号「インターネット等を介したｅラーニング等により行われる労働安全衛生法に基づく安全衛生教育等の実施について」に準じた内容としているか。	
3　作業環境	
（1）　サテライトオフィス型	
□　労働安全衛生規則や事務所衛生基準規則の衛生基準と同等の作業環境となっていることを確認した上でサテライトオフィス等のテレワーク用の作業場を選定しているか。	◎
（2）　自宅	
□　別添2のチェックリスト（労働者用）を参考に労働者に自宅の作業環境を確認させ、問題がある場合には労使が協力して改善に取り組んでいるか。また、改善が困難な場合には適切な作業環境や作業姿勢等が確保できる場所で作業を行うことができるよう配慮しているか。	
（3）　その他（モバイル勤務等）	
□　別添2のチェックリスト（労働者用）を参考に適切な作業環境や作業姿勢等が確保できる場所を選定するよう労働者に周知しているか。	

1 / 2 ページ

項目	法定事項
4　健康確保対策について	
（1）　健康診断	
□ 定期健康診断、特定業務従事者の健診等必要な健康診断を実施しているか。	◎
□ 健康診断の結果、必要な事後措置は実施しているか。	◎
□ 常時、自宅や遠隔地でテレワークを行っている者の健康診断受診に当たっての負担軽減に配慮しているか。（労働者が健診機関を選択できるようにする等）	
（2）　長時間労働者に対する医師の面接指導	
□ 関係通達に基づき、労働時間の状況を把握し、週40時間を超えて労働させた時間が80時間超の労働者に対して状況を通知しているか。	◎
□ 週40時間を超えて労働させた時間が80時間超の労働者から申出があった場合には医師による面接指導を実施しているか。	◎
□ 面接指導の結果、必要な事後措置を実施しているか。	◎
□ テレワーク中の労働者に対し、医師による面接指導をオンラインで実施することも可能であるが、その場合、医師に事業場や労働者に関する情報を提供し、円滑に映像等が送受信可能な情報通信機器を用いて実施しているか。なお、面接指導を実施する医師は産業医に限られない。 ※詳細は平成27年９月15日付け基発0915第５号「情報通信機器を用いた労働安全衛生法第66条の８第１項、第66条の８の２第１項、法第66条の８の４第１項及び第66条の10第３項の規定に基づく医師による面接指導の実施について」（令和２年11月19日最終改正）を参照。	◎
（3）　その他（健康保持増進）	
□ 健康診断の結果、特に健康の保持に努める必要があると認める労働者に対して、医師または保健師による保健指導を実施しているか。	
□ THP（トータル・ヘルスプロモーション・プラン）指針に基づく計画は、テレワークが通常の勤務とは異なることに留意した上で策定され、当該計画に基づき計画的な取組を実施しているか。	
5　メンタルヘルス対策　※ 項目 1(2) 及び 6(1) もメンタルヘルス対策の一環として取り組んでください。	
（1）　ストレスチェック	
□ ストレスチェックを定期的に実施し、結果を労働者に通知しているか。また、希望者の申し出があった場合に面接指導を実施しているか。（労働者数50人未満の場合は努力義務） ※面接指導をオンラインで実施する場合には、４（２）４ポツ目についても確認。	◎
□ テレワーク中の労働者が時期を逸することなく、ストレスチェックや面接指導を受けることができるよう、配慮しているか。（メールやオンラインによる実施等）	
□ ストレスチェック結果の集団分析は、テレワークが通常の勤務と異なることに留意した上で行っているか。	
（2）　心の健康づくり	
□ メンタルヘルス指針に基づく計画は、テレワークが通常の勤務とは異なることに留意した上で策定され、当該計画に基づき計画的な取組を実施しているか。	
6　その他	
（1）　コミュニケーションの活性化	
□ 同僚とのコミュニケーション、日常的な業務相談や業務指導等を円滑に行うための取組がなされているか。（定期的・日常的なオンラインミーティングの実施等）	
（2）　緊急連絡体制	
□ 災害発生時や業務上の緊急事態が発生した場合の連絡体制を構築し、テレワークを行う労働者に周知しているか。	

※　ご不明な点がございましたら、お近くの労働局又は労働基準監督署の安全衛生主務課にお問い合わせください。

記　入　日：令和　　年　　月　　日

記入者職氏名：

R3.3.25版

2 / 2 ページ

（別紙２）自宅等においてテレワークを行う際の作業環境を確認するためのチェックリスト【労働者用】

1　このチェックリストは、自宅等においてテレワークを行う際の作業環境について、テレワークを行う労働者本人が確認する際に活用いただくことを目的としています。
2　確認した結果、すべての項目に☑が付くように、不十分な点があれば事業者と話し合って改善を図るなどにより、適切な環境下でテレワークを行うようにしましょう。

すべての項目について【観点】を参考にしながら作業環境を確認し、当てはまるものに ☑ を付けてください。

1　作業場所やその周辺の状況について

☐（1）　作業等を行うのに十分な空間が確保されているか。

【観点】
- 作業の際に手足を伸ばせる空間があるか。
- 静的筋緊張や長時間の拘束姿勢、上肢の反復作業などに伴う疲労やストレスの解消のために、体操やストレッチを適切に行うことができる空間があるか。
- 物が密集している等、窮屈に感じないか。

☐（2）　無理のない姿勢で作業ができるように、机、椅子や、ディスプレイ、キーボード、マウス等について適切に配置しているか。

【観点】
- 眼、肩、腕、腰に負担がかからないような無理のない姿勢で作業を行うことができるか。

☐（3）　作業中に転倒することがないよう整理整頓されているか。

【観点】
- つまづく恐れのある障害物、畳やカーペットの継ぎ目、電源コード等はないか。
- 床に書類が散らばっていないか。
- 作業場所やその周辺について、すべり等の危険のない、安全な状態としているか。

☐（4）　その他事故を防止するための措置は講じられているか。

【観点】
- 電気コード、プラグ、コンセント、配電盤は良好な状態にあるか。配線が損傷している箇所はないか。
- 地震の際などに物の落下や家具の転倒が起こらないよう、必要な措置を講じているか。

2　作業環境の明るさや温度等について

☐（1）　作業を行うのに支障ない十分な明るさがあるか。

【観点】
- 室の照明で不十分な場合は、卓上照明等を用いて適切な明るさにしているか。
- 作業に使用する書類を支障なく読むことができるか。
- 光源から受けるギラギラしたまぶしさ（グレア）を防止するためにディスプレイの設置位置などを工夫しているか。

☐（2）　作業の際に、窓の開閉や換気設備の活用により、空気の入れ換えを行っているか。

☐（3）　作業に適した温湿度への調整のために、冷房、暖房、通風等の適当な措置を講ずることができるか。

【観点】
- エアコンは故障していないか。
- 窓は開放することができるか。

☐（4）　石油ストーブなどの燃焼器具を使用する時は、適切に換気・点検を行っているか。

☐（5）　作業に支障を及ぼすような騒音等がない状況となっているか。

【観点】
- テレビ会議等の音声が聞き取れるか。
- 騒音等により著しく集中力を欠くようなことがないか。

3　休憩等について

☐（1）　作業中に、水分補給、休憩（トイレ含む）を行う事ができる環境となっているか。

4　その他

☐（1）　自宅の作業環境に大きな変化が生じた場合や心身の健康に問題を感じた場合に相談する窓口や担当者の連絡先は把握しているか。

※　ご不明な点がございましたら、お近くの労働局又は労働基準監督署の安全衛生主務課にお問い合わせください。

記　入　日：令和　　年　　月　　日

記入者職氏名：

R3.3.25版

1 / 1 ページ

レポート

テレワークの現状と今後

新型コロナウイルス感染拡大に伴うテレワーク経験を通じ、
企業労使は何を学び、
どういった対応を行いながら、
今後の働き方を追求しようとしているのか

JILPT 新型コロナウイルスによる雇用・就業への影響等に関する調査、分析 PT
ウィズコロナ・ポストコロナの働き方に関するヒアリング調査班

荻野　　登　JILPT リサーチフェロー
藤澤　美穂　JILPT 統括研究員（雇用構造と政策部門）
渡邊木綿子　JILPT 調査部主任調査員

1　はじめに
2　全国的な「緊急事態宣言」を契機に急速に拡がった「テレワーク」
3　揺り戻しを生じたのはなぜか
4　テレワークは今後のニューノーマルになり得るのか
5　テレワーク経験で浮かび上がった課題に対し、
ウィズコロナ・ポストコロナの働き方に向けてどのような対応が
行われているのか
6　テレワークの拡大に伴う不公平感や格差に対する注意喚起
7　おわりに

1. はじめに

新型コロナウイルス感染症（COVID-19）の拡大に伴い、職場では営業自粛や時間短縮に伴う休業者が未曾有の増加を記録[1]するとともに、感染予防と経済活動の両立に向けてテレワーク[2]の活用が進展した。これを契機にテレワークが今後、ニューノーマルの働き方になるのではないかとの見方もあるが、実際のところはどうなのだろう。

本稿では、新型コロナウイルス感染症が企業や個人に及ぼす影響等を把握するため、当機構が昨年（2020年）5月以降、継続実施してきたアンケート調査結果を基に、テレワークの活用状況を概観する。そのうえで、ウィズコロナ・ポストコロナの働き方を展望するため、昨年10～11月に大手企業を対象に行った緊急ヒアリング調査結果を中心に、「緊急事態宣言」の全国的な発令期間（昨年4～5月）におけるテレワーク経験を通じ、労使が何を学び、どういった対応を行いながら、今後の働き方を追求しようとしているかの動向について紹介することとしたい。

2. 全国的な「緊急事態宣言」を契機に急速に拡がった「テレワーク」

新型コロナウイルス感染症の拡大やその予防措置が、企業経営に及ぼす影響等を把握するため、当機構ではインターネット調査会社のモニター登録企業（従業員無しを除く）を対象に6月調査（第1回)、10月調査（第2回)、2月調査（第3回）を行ってきた（以降、「企業アンケート調査」と総称する）[3]。

全調査の共通回答企業（n=452社）で、テレワーク実施率の推移をみると、昨年2月の6.4%から4月に54.4%まで上昇し、「緊急事態宣言」の全国的な発令を契機に急速に拡がった様子が見て取れる（**図表1**)。しかしながら、「緊急事態宣言」の全面解除以降は6月に43.6%、7月に37.6%、11月には33.0%と低下傾向を辿り、4～5月時点より20%ﾎﾟｲﾝﾄ程度、揺り戻したことが分かる。その後、東京や大阪など11都府県に対する「緊急事態宣言」の再発令に伴い、本年1月には40.9%と再びやや拡大する状況も、昨年4～5月の水準にはとどいていない。

このように、全国的な「緊急事態宣言」に伴いテレワークが急速に拡大するも、その解除とともに一定程度、揺り戻される現象は、個人の行動レベルでも確認することが出来る。

---

[1] 休業者数は、昨年4月に597万人の過去最多を記録した。また、昨年平均の休業者数も256万人と、比較可能な1968年以降で最も多く（総務省「労働力調査」)、事業主が労働者に休業手当等を支払う場合に助成する「雇用調整助成金」の支給決定件数も、本年4/30時点で323万件超、支給決定総額は3.3兆円超にのぼっている。なお、新型コロナウイルス感染症やその防止措置の影響で休業させられた労働者のうち、休業手当が支払われなかった場合には、本人の申請により「新型コロナウイルス感染症対応休業支援金・給付金」が受給できる仕組みも設けられている。その支給実績も確認すると、本年4/29時点の累計支給決定件数で131万件超、支給決定総額は1,026億円超となっている。

[2] 本稿では、労働者が自宅で働く「在宅勤務」を中心に、メーンのオフィス以外の事業所やオフィスで働く「サテライトオフィス勤務」、移動中を含めて臨機応変の場所で働く「モバイル勤務」を含めた事業場外勤務を「テレワーク」と総称する（但し、ヒアリング調査各社の発言内容についてはそのままとしている)。

[3] 詳細は、中井雅之「新型コロナウイルス感染症が企業経営に及ぼす影響に関する調査」（一次集計）結果を参照されたい（6月調査：https://www.jil.go.jp/press/documents/20200716.pdf）（10月調査：https://www.jil.go.jp/press/documents/20201216.pdf）（2月調査：https://www.jil.go.jp/press/documents/20210430b.pdf)。

図表1　テレワークを実施する企業割合の推移（企業アンケート調査）

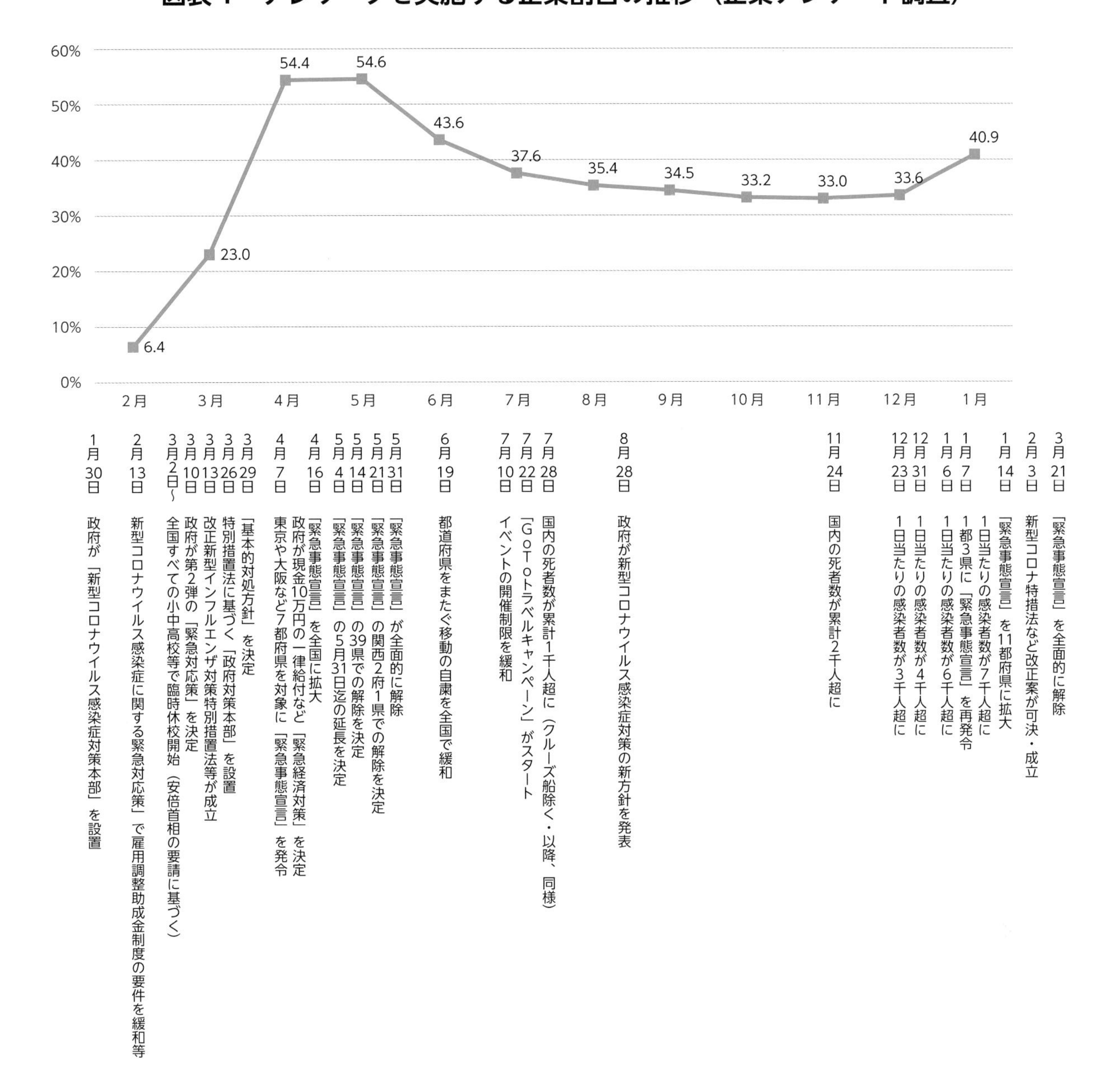

当機構では、新型コロナウイルス感染症の拡大やその予防措置が、雇用者等の仕事や生活に及ぼす影響等についても把握するため、公益財団法人連合総合生活開発研究所との共同研究で回答者パネルを構築[4]し、(連合総研が実施した4月調査[5]に続く)5月調査(第1回)、8月調査（第2回)、12月調査（第3回)、3月調査（第4回）を行ってきた[6]（以降、「個

4　雇用者に対する調査は、総務省「就業構造基本調査」の分布を基に、性別×年齢層×居住地域ブロック×正社員・非正社員別の層化割付を行った上で、4月調査から続く共通回答者に優先的に配信・回収しながらパネルデータを形成しつつ、欠落分を補填配信・回収することで、全体目標数（計4,307人）も確保している。

5　詳細は、「第39回勤労者短観　新型コロナウイルス感染症関連　緊急報告」を参照されたい（https://www.rengo-soken.or.jp/work/「新型コロナウイルス感染症関連」調査結果.pdf)。

6　詳細は、渡邊木綿子「新型コロナウイルス感染拡大の仕事や生活への影響に関する調査」(一次集計）結果（以下、同称）(5月調査：https://www.jil.go.jp/press/documents/20200610.pdf)（8月調査:https://www.jil.go.jp/press/documents/20200826.pdf)（12月調査：https://www.jil.go.jp/press/documents/20210118.pdf)（3月調査:https://www.jil.go.jp/press/documents/20210430a.pdf)を参照されたい。

人アンケート調査」と総称する)。

そのうち、関連する設問が含まれている12月調査で、同調査時点の「民間企業の雇用者」(n=4,165)を対象にテレワーク経験を集約すると、**図表2**の通りになる。すなわち、これまでに何らかのテレワーク経験がある割合は10人に3人弱(計28.2%)であり、うち約2人(19.7%)は新型コロナウイルス感染拡大期に相当する「3～5月に初めて経験した」ことが分かる。しかしながら、うち1人弱(9.1%)は既に「現在は行っていない」と回答しており、結果として、新型コロナウイルス感染拡大期の前後でみた純増分は約1人(10.6%)にとどまっている。

図表2　雇用者全体におけるテレワークの経験割合(個人アンケート調査)

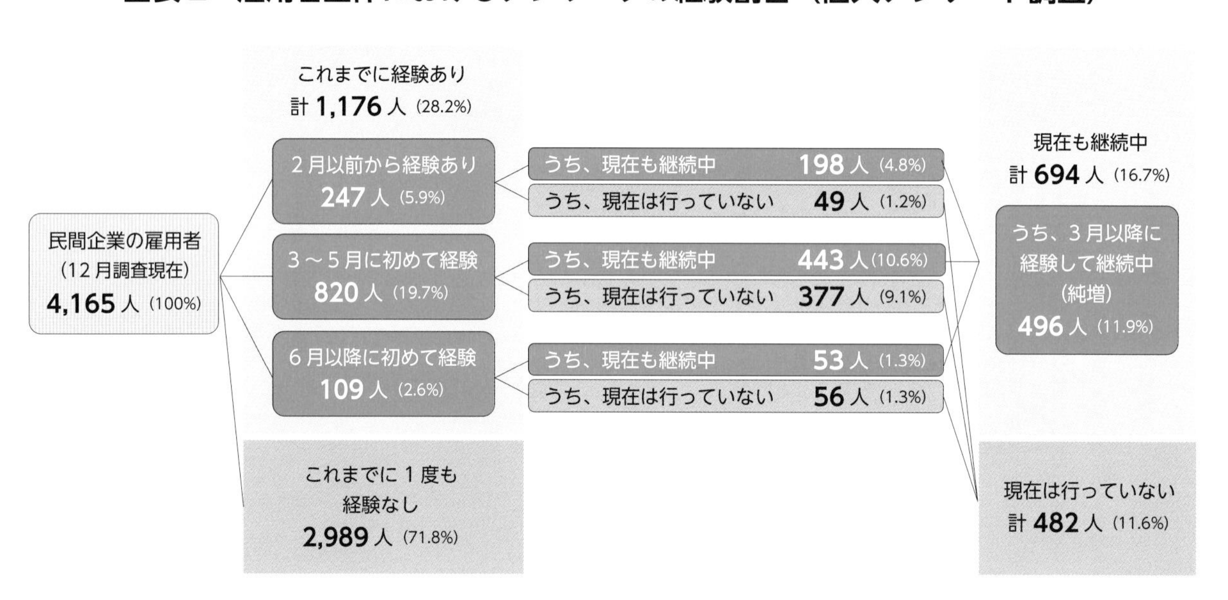

また、昨年4/1時点と同じ会社で働いている雇用者のうち、5月調査・8月調査・12月調査・3月調査に共通して回答し、いずれも勤務先でテレワークが行われていた場合(n=435人)に、個々の雇用者が実際に1週間当たりでどの程度、テレワークを行ったかについても確認すると**図表3**の通りになった。

新型コロナウイルス感染症の問題が発生する前の通常月では、7割超(72.6%)がテレワークを「行っていない」と回答していたものの、その割合は「4月の第2週」(24.4%)、「5月の第2週(5/7～13)」(5.7%)と顕著に低下している。その分、テレワークを「行っている(1日以上計)」割合が94.3%に急上昇し、「5月の第2週(同)」には1/3超(28.7%)が「5日(以上)」と回答するなど、勤め先でテレワークが許容されていれば、そこに働く個人レベルでも、確かにテレワーク経験が拡がったことが分かる。

しかしながら、「緊急事態宣言」が全面的に解除された「5月の最終週(5/25～31)」以降は早くも「行っていない」割合が揺り戻し始め、「7月の最終週(7/25～31)」には4割超(45.3%)まで押し戻している。テレワークを「行っている(同)」との回答は、記録的な酷暑等に見舞われた「8月の最終週(8/25～31)」こそ6割を超えた(63.2%)ものの、その後は「9月の最終週(9/24～30)」(58.2%)、「10月の最終週(10/25～

31)」（55.4%）と漸次低下で推移し、（11 都府県限定ながら）「緊急事態宣言」が再発令された「3 月の直近週」でも 57.5% にとどまっている。

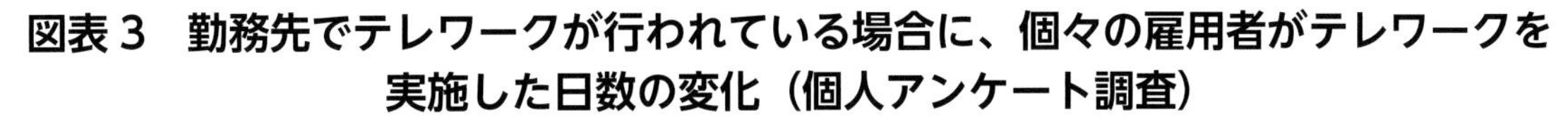

図表 3　勤務先でテレワークが行われている場合に、個々の雇用者がテレワークを実施した日数の変化（個人アンケート調査）

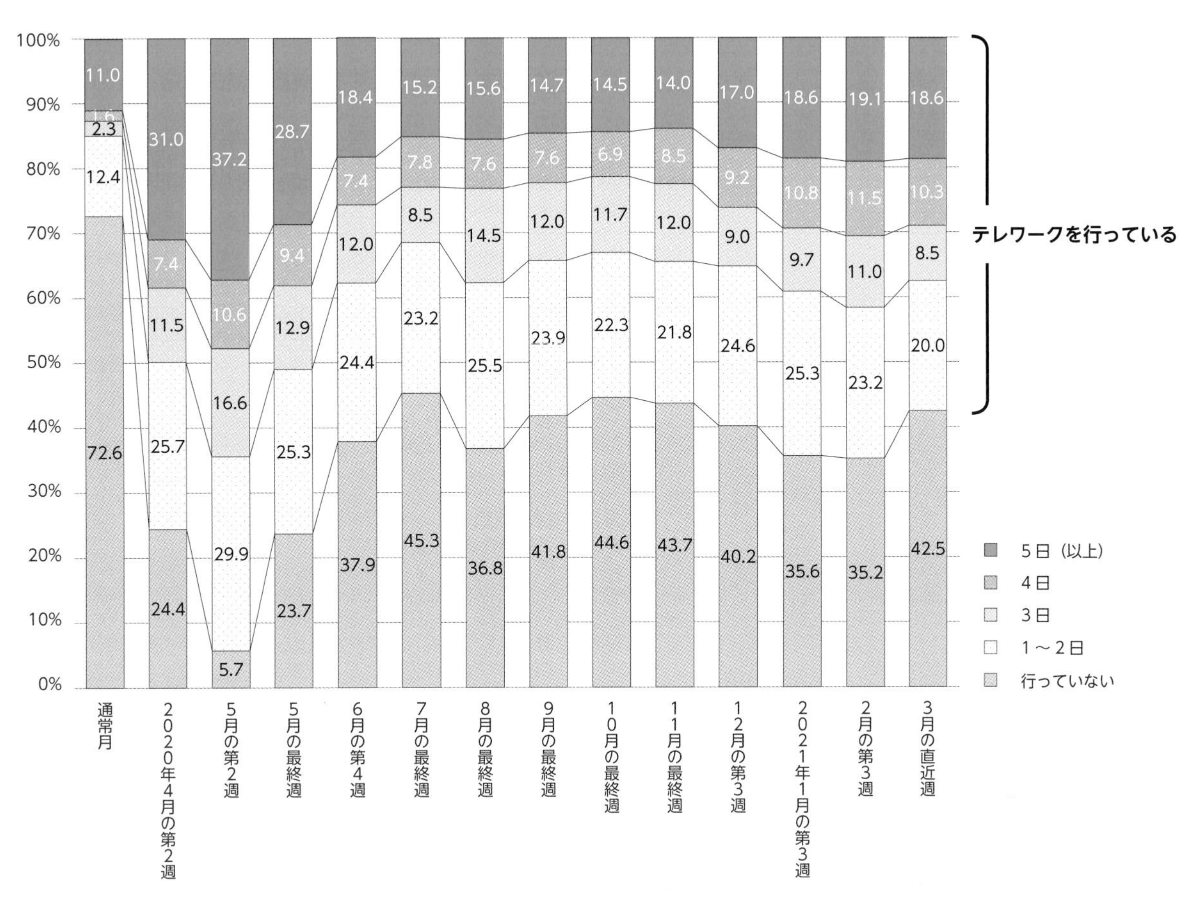

こうしたテレワークの急拡大とその後の剥落現象は、企業労使に対するヒアリング調査でも確認することが出来た。

建設・建設関連（住宅設備機器・建材）、金融・保険、飲食サービス、小売、公共交通 , 不動産等、製造（医薬品、食品、自動車関連、電機関連、ソリューション等、その他）業種における 14 の大手企業労使を対象に、昨年 10 ～ 11 月時点でヒアリング調査を行ったところ[7]、うち（飲食サービス 1 社を除く）13 社は新型コロナウイルス感染症の問題が発生する以前からテレワークを導入し、利用対象者を拡大するなどしてきたものの、「所属

[7] 調査は、A 社（10/9）～ N 社（11/2）迄の全 7 回に渡り、Zoom 会議方式で実施した（複数対象による座談会形式を含む）。新型コロナウイルス感染拡大防止という社会的な課題が課せられる中での緊急ヒアリング調査になったため、対象の企業（人事部長、労政部長、人材部長、総務部長、担当課長等）と、労働組合（書記長、担当執行委員）については、調査モニターや研究会メンバーとして当機構と繋がりのある中から選定し、ご協力を仰いだ。A ～ G 社及び M ～ N 社に対しては、荻野登（リサーチフェロー）、藤澤美穂（統括研究員）、渡邊木綿子の 3 名で聴き取りを行った。また、H ～ I 労組については藤澤と渡邊で聴き取りを行い、J ～ L 社については中澤二朗（高知大学希望創発センター特任教授）をコーディネーターに迎えて聴き取りを行い、藤澤と渡邊が傍聴した。すべての聴き取り記録は藤澤と渡邊で作成し、調査対象の確認・校正を得た。但し、本稿における掲載は構成上、そこから執筆者の責任で部分抜粋したものになる。各ヒアリング対象の聴き取り記録の全容は、後日発刊する資料シリーズを確認されたい。

長のマインドや組織の空気感がなかなか変わらなかったこと等から、殆ど育児にかかわる社員の利用にとどまってきた」等の報告も寄せられた（**図表 4**）。

図表 4　ヒアリング調査各社におけるテレワークの導入等経緯と新型コロナウイルス感染症の問題が惹起する以前の状況

	業種	導入年			うち「在宅勤務」の導入等経緯と利用状況
		在宅勤務	サテライトオフィス勤務	モバイル勤務	
A 社	建設	2019 年	2020 年	2015 年頃	**育児や介護等のため**に時には出社が困難な社員に対し、欠勤することなく出社時と同程度の労働力を提供できる環境を整え、職業生活と家庭生活の両立を支援する目的で導入した
B 社	製造（医薬品）	2017 年	―	2020 年	国が掲げた「一億総活躍社会」を検討の契機に、**育児・介護の勤務支援に限定**した「自宅勤務制度」として**スタート**。その後、**生産性の向上やイノベーションの創出、更にはワークライフベストの実現等を目的に段階的に拡大**した（導入 1 年後には、適用対象者（フレックスタイム制や裁量労働制の適用者を対象へ）、勤務場所（自宅のほか単身赴任家族宅や介護家族宅での勤務も可能に）、利用時間帯（平日の 5 ～ 22 時へ）を拡大。また、キャリア採用の増加に伴い、導入 3 年後に「勤続 1 年以上」という適用対象者要件を撤廃し、「週 1 回・1 日迄、所定就業時間（7 時間 50 分）内」の利用限度も廃止した）
C 社	金融・保険	2016 年			**「生産性の向上」を目的**に、当初から正職員全員を対象に導入し、導入から 2 年後には「利用時間制限」も撤廃した
D 社	飲食サービス	2020 年	―	―	（新型コロナウイルス感染拡大防止のため初めて導入）
E 社	小売	2018 年	―	―	在宅勤務を導入したものの、店舗や物流センターに勤務する社員は利用し難いため、（全員が対象の制度ながら）**結果として、利用は本社勤務の、特に「育児や介護の必要がある社員」に限られてきた**
F 社	その他製造	2014 年	2020 年		当初は**育児・介護や本人の障がい・疾病により物理的に出社が困難になった場合に認める制度**（可能な限り原則月 1 回は出社）**として導入**。その後、2020 年 4 月より**地震・風水害で物理的に出社が困難になった場合や、感染症対策として会社が出社させるべきではないと判断した場合も対象に追加**した。他方、**全社的には東京オリンピック・パラリンピックの開催対応として**、1 回目：2019 年 7 ～ 9 月、2 回目：2019 年 11 月～ 2020 年 1 月、3 回目：2020 年 6 ～ 9 月の期間限定で、**テレワークトライアルを実施してきた**
G 社	公共交通，不動産等	2014 年	2016 年	2020 年	在宅勤務は、**育児・介護休職からの早期復職者を対象にスタート**。その後、サテライトオフィスの開設や、シェアオフィスの事業化に伴い、テレワーク勤務者が増加してきた
H 労組	製造（自動車関連）	2003 年	2020 年（試行導入）	―	**当初、育児・介護との両立支援を主な目的に導入**したため、対象者も限定されていたが、2016 年に**生産性向上、育児・介護との両立を含めた柔軟な働き方の実現を狙いに据え大幅に拡大**した。その結果、事務職・技術職、業務職（一般職）の大半が利用対象になったが、育成を要する若年層や技能職は、引き続き対象外とされてきた
I 労組	製造（電機関連）	2008 年	2018 年		在宅勤務は**当初、育児・介護の両立支援のために導入**し、その後、**生産性の向上を目的に大幅に拡大**した。サテライトオフィス勤務やモバイル勤務も含め、働く場所を職場に限定（固定）しないことで、**時間の効率的な利用、一人ひとりに最適な業務環境の選択、プライベートと業務の両立を目指し**ている。
J 社	建設関連（住宅設備機器・建材）	2016 年	2011 年	2011 年以前	**当初は育児にかかわる理由**で、週 1 日の利用を承認する制度としてスタート。**その後**、利用上限を週 4 日まで拡大するとともに、**全業務に於けるテレワークを解禁・推奨**したが、所属長のマインドや組織の空気感がなかなか変わらなかったこと等から、**殆ど育児にかかわる社員の利用にとどまってきた**

そうしたなか、「緊急事態宣言」の全国的な発令（昨年４～５月）に際しては、臨時特例的な対応として既存の制度では対象でなかった社員も含め、テレワークが広く行われるようになったものの、その解除以降は出社率が徐々に高まっていることを報告した企業が多くなっている（**図表 5**）。

	業種	導入年			うち「在宅勤務」の導入等経緯と利用状況
		在宅勤務	サテライトオフィス勤務	モバイル勤務	
K 社	製造（ソリューション等）	2010 年	2017 年		在宅勤務は、多様な人材のキャリア形成支援と生産性向上を目的に、主に育児・介護事情のある社員を対象として導入。その後、2017 年にはサテライトオフィス勤務やモバイル勤務を含め、**多様な人材が活躍し続けられる環境を構築**することで、勤務場所に依らない**一人ひとりのパフォーマンス向上とチームとしての成果の最大化を目指し**、全職種・全社員対象の制度化に踏み切った。2018 年以降も順次、**生産性向上を目的とした働き方改革の取り組みの中で制度改善**を進めた結果、直近（新型コロナウイルス感染症の問題の発生以前）では、全社員が何らかのテレワークを**「少なくとも週１日」以上は行うようになっていたものの**、**職種による偏りも大きく社内の受け止めは様々だった**
L 社	製造（食品）	2014 年	2017 年		1991 年に「フレックスタイム制」、2001 年に「精算時の決裁システム」（ペーパーレス化）を導入し、2005 年よりノートパソコンへの移行（出張・外出時対応）を順次、開始した。2007 年から、イノベーションの創出を目的とした「第１次働き方改革」（フリーアドレスの導入、固定電話の廃止と携帯電話への移行、ペーパーレス化等）に着手し、2010 年より、同様の内容を全国の事業所に水平展開する「第２次働き方改革」を推進した。また同年、「稟議の決裁システム」（ペーパーレス）や「電話会議システム」も導入した。こうした**環境整備を背景に**、自宅で週２回迄とする**「在宅勤務制度」を導入**するに至り、2017 年に勤務場所や利用回数を制限しない「モバイルワーク制度」へと発展させたものの、利用は一部にとどまってきた
M 社	製造（食品）	2017 年	2019 年		いずれも**「働く場所」の多様化を通じ、労働生産性の向上とワークライフバランスの充実を推し進めるために導入**した
N 社	製造（電気・電子機器、ソリューション等）	2008 年	2016 年	2018 年	在宅勤務は、**育児介護の両立支援を目的として導入したが**、2016 年には**組織の業務効率向上や個人の生産性向上を目的**に職場単位で導入可否を行うことで利用対象者を拡充し、2018 年から**利用対象者を全社員に拡充**した上で、利用回数についても、終日利用の上限回数は週１回のところを月10 回に引き上げるとともに、午前中は在宅・午後は出社といった時間単位利用も週２回を無制限に利用できるよう環境を整えた。**2018 年以降、在宅勤務の利用率は 20 ～ 30％で推移してきた**

※在宅勤務＝労働者が自宅で勤務、サテライトオフィス勤務＝メーンのオフィス以外の事業所やオフィスで勤務、モバイル勤務＝移動中を含め、臨機応変の場所で勤務と定義。

図表 5　ヒアリング調査各社における「緊急事態宣言」時（昨年 4 ～ 5 月）の対応とテレワークのその後の利用状況

	業種	緊急事態宣言時（昨年 4 ～ 5 月）の対応とその後の状況	調査時点現在の利用状況
A 社	建設	新型コロナウイルス感染拡大防止のための緊急避難（暫定的な通達運用）として、育児や介護等に限らず、上長が「テレワークによる在宅勤務に適した社員」と認めれば、日数制限無く在宅勤務できるように対応。ピーク時の実施率は、本社の管理部門で 4 ～ 6 割、支店の管理部門でも 3 ～ 4 割に達したが、**テレワークというより新型コロナウイルス感染拡大防止のためのひきこもりに近い状態で、緊急事態宣言の解除後は自然と通常勤務に戻って行った**（現在は本社の管理部門や設計部門等で 2 割、支店で 1 割を下回る）	対象者（正社員のみ） 8,520 人中、 約 710 人（8.3%） が在宅勤務
B 社	製造 （医薬品）	当時の**利用限度（週 1 日・1 回、1 日の所定労働時間内）を外し、毎日でも利用できる特別措置を講じた**。また、非正社員の直接雇用者のほか、**派遣社員についても派遣元との合意を経て適用**した。現在も、新型コロナウイルス感染拡大防止のため、「自宅勤務の積極的活用」と「オフピーク通勤の励行」を周知している	対象者（正社員のみ） 2,790 人中、 約 40% が在宅勤務
C 社	金融・保険	規定上、契約社員は対象外だが、新型コロナウイルス感染拡大防止のため、特別対応として運用上、認めて対応した。**緊急事態宣言下の出社率は 3 割程度だったが、残りの 7 割すべてがテレワークをできていたというわけではない**。当社のテレワークは、出張先や出先等から臨時的に行うことを想定してきたため、全社員が一斉に（セキュリティが確保された）社用専用回線を使用することはできない環境にあった（パンクしてしまう恐れが高かった）。そのため、**一部の職員については、事実上の「自宅待機」になっていた**	本社所属の職員のうち 約 2 割が在宅勤務
D 社	飲食サービス	**コロナ禍による緊急事態宣言下で初めて**、事務職を中心とする本部（正社員約 370 人、パート・アルバイト約 170 人）に限定して導入した。「顧客に対面で向き合って初めて商売が成り立つ」ため、テレワークは難題で「店舗に勤務する私たちパート・アルバイトが、最前線で（感染リスクに晒されながら）頑張っている中で、本部勤務の正社員等だけが自宅にいるのか」といった批判も寄せられた。ただ、政府の要請に応えるため、オフィスの稼働率は 50% 程度に抑制し、有給休暇を取得してもらったり、休業手当を支払いながら常時の在席人数を抑制しつつ、延べ 90 人の在宅勤務を実施した。緊急事態宣言の解除後、飛沫・接触感染の防止環境が充分整ったことを受け、テレワークの臨時的な実施を解除した上で、7 月に本部の正社員に限定した「在宅勤務」制度を導入した	本部の正社員 （約 370 人）のうち 約 30 人が在宅勤務
E 社	小売	緊急事態宣言期間中は**本社勤務の正社員（正社員全体の約 1/4）と契約社員の全員に在宅勤務を推奨**した。本社勤務者全員が在宅勤務という事態はそれまで想定していなかったため、自宅から会社のシステムに接続可能な人数を急遽、増やす等の対応は要したが、以前から「コアタイムレス」のフレックスタイム制を導入し、労働時間管理は本人に委ねてきたため、在宅勤務の緊急拡大に際しても（勤務場所が自宅に変わっただけで）特段の支障は感じなかった。緊急事態宣言期間中は、「どうしても出社しなければできない仕事」のみ出社を許可し、結果として郵便物や定期便を管理している総務や、外部からアクセス不可の給与システムを取扱う人事等が週 3 日程度、出勤していた。なお、店舗（全国に 70 店舗、運営責任者として正社員全体の約 3/4 を配置）については **1 ヶ月程度、「閉鎖」せざるを得なかったところも半数弱あり、休業手当を支給しながら自宅待機してもらった**	対象者（本社勤務の正社員） 約 230 人中、 顧客サポート部門を除く 約 220 人（95% 程度） が在宅勤務
F 社	その他製造	緊急事態宣言下では、「緊急トライアル」として**原則、全社員に在宅勤務を適用**した。その後 10 月より、サテライト勤務やモバイル勤務を含めたテレワークを、自律的な働き方の一つとして認める「リモートワーク制度」の導入に踏み切った。その後の出社率は、部門により異なるものの 3 割以下（事業企画や営業等）～ 5 割（総務・人事、財務等）程度となっている。なお、役員対応のため、また、特に営業部門等は管理職層が数値責任を負い、生産・開発部門等と連携・調整する必要もあるため、管理職層の出社率が高くなっている	対象者（正社員のみ） 約 9,870 人全員が、 何らかのリモートワークを実施
G 社	公共交通， 不動産等	3 月に、在宅勤務を**「本社」の勤務者全員に（暫定的に）拡大**。出社しなくてもできる仕事については極力、抑制するよう要請した。結果として、各部門の危機管理要員を除き、6 月頃迄の出社率は 1 割強にとどまった。一方、公共交通については三密防止のため、外出自粛が要請される中でも運行本数を維持せざるを得なかったが、（社会に不可欠なエッセンシャルワーカーとして）万一罹患した場合の予備要員を確保する必要もあり、**一定数を自宅待機**させた。その後は各部門長が、部門の仕事特性を見極めながら、出社率等を管理するよう要請している（出社率を 50% 未満に抑制する通達を継続中）。オンライン会議も行っているが、やはり出社するといろいろな情報が入手できること、役員を含めて年代が上がるほど対面でのリアルコミュニケーション・リアルマネジメントを重視する傾向があること等から、管理職層の出社率が高い。経理部門、営業部門でも出社率が高い	対象者（「本社」勤務者のみ） 約 1,600 人中、 約 740 人（約 45%）が 在宅勤務、 約 290 人（約 20%）が サテライトオフィス勤務

	業種	緊急事態宣言時（昨年４～５月）の対応とその後の状況	調査時点現在の利用状況
H 労組	製造 （自動車関連）	新型コロナウイルス感染拡大防止のための**暫定的な対応下で、利用が爆発的に増えた**。緊急事態宣言期間中は、都内で８～９割、本社で６割が在宅勤務を行った。その際、会社が公共交通機関の利用者について優先的に在宅勤務を推奨するスタンスを取ったため、在宅勤務の実施率は今でも都内で高く（６～７割）、本社などマイカー通勤が可能な地域ほど低い（３～４割）。**緊急事態宣言期間中は半ば強制的に、会社の号令に基づいて在宅勤務が進んだ**が、**現在は無理のない形で実態に合わせた在宅勤務**となっており、実施率は下がったもののネガティブには捉えていない	対象者（正社員のみ） 約 4.4 万人中、 約１万人（約 15%）が 在宅勤務 （併用ケースを含まない 終日のみで集計した場合）
I 労組	製造 （電機関連）	**そもそも全職種・全階層を対象**に、機密性の高い一部の仕事を除いて**原則、在宅勤務が可能な環境**にあったため、緊急事態宣言下では、**在宅で勤務する社員の割合が８割程度まで高まった**。その後、実施率は顕著に低下しており、日々在宅で勤務している従業員は５割程度となっている。緊急事態宣言下の「在宅勤務ありき」から、現在は個々人の選択の下、在宅勤務と出社のハイブリッドな働き方が進んでいる。緊急事態宣言期間中と比べて実施率が低下したのは、在宅勤務だけでは仕事が回らないという意識や、環境が整った会社に出社した方が効率的な仕事もあることが再認識されたからではないか	対象者（正社員のみ） 約 2.2 万人中、 約 8,700 人（約４割） が在宅勤務
J 社	建設関連 （住宅設備機器・ 建材）	**緊急事態宣言を受けて原則在宅勤務を指示し、本社はほぼ全員が在宅勤務に切り換えた**。**COVID-19 感染拡大防止に向けた対応の中で利用が一気に加速**し、**（半ば強制的に）定着**することとなった。解除後の６月以降は、最大出社率 40% を目安に通常勤務も認めている	（単体の正社員のみで 考えた場合） 約 1.6 万人中、約 9,000 人 （６割弱）が在宅勤務、 約 4,500 人（３割弱）が サテライトオフィス勤務、 約 3,000 人（２割弱）が モバイル勤務
K 社	製造 （ソリューション等）	緊急事態宣言の期間中は**製造・物流部門を除く、オフィス勤務者（営業職、SE・カスタマーエンジニア、研究職、経営スタッフ等）の約９割が在宅勤務を行った**。そこで７月、**国内グループ社員の勤務形態を原則テレワークに移行させる**こととし、フレックスタイム制のコアタイムを廃止するとともに、今後３年掛けて既存オフィスの床面積を半減させる方針を決定した。現在は、各事業所の出勤率を最大 25% に抑制する働き方を推奨している。	対象者（単体の正社員のみ） 約 3.5 万人中、 約 2.8 万人（約８割） が在宅勤務
L 社	製造 （食品）	社員を始めとするステークホルダーの安全・安心の確保を最優先するため、全社員（単体）約 3,800 人のうち、少なくとも本社や支店、営業拠点に働くオフィス勤務者約 800 人（約２割）については、原則テレワークを行った。少なくとも**約３カ月間に渡り徹底**したところ、感染拡大防止効果に加え、通勤時間の削減や新しいコミュニケーションスタイルの浸透（各種 Web 会議システムの活用）に繋がるとともに、５月に実施したアンケート調査では「以前の働き方を変えたい」という社員の意識変化も認められた。そこで、**オフィス勤務者の働き方を原則、テレワークに標準化**する**「ニューノーマルの働き方（New Workstyle）」を策定**し、７月より対象者約 800 人に適用した。現在、対象者全員がテレワークを行っており、出社は創造性・効率性の向上が見込める場合や、直接の意思疎通が必要な場合に限定した**申告制**とし、出社率 30% 前後を目安としながら、実際には 10 ～ 20% 程度で推移している	対象者約 800 人全員 が在宅勤務
M 社	製造 （食品）	経営層指揮下の「新型コロナウイルス対策会議」が定めた、「グループの社員に感染者・重症者を発生させない、取引先にも発生させない」との基本方針に基づき、緊急事態宣言～７月末迄は、暫定的に週２回・月 10 回迄の利用上限を取り払い、工場や菜園の勤務者を除く全社員に**原則として出社しないよう（在宅勤務を）**求めた。その上で、**８月以降に向けては「With コロナの働き方」を策定し、①出社は組織単位で在籍人員の 40% 迄になるようローテーションを組む、②個人毎の標準出社は週２日を目安とする、③最低でも週１日は在宅勤務を行い、週１日は出社**することを決めた。現在は当然ながら、緊急事態宣言期間中と比べて出社率は上昇しているが、それでも本社は概ね 30 ～ 35% 程度に収まっている。	対象者（国内正社員のみ） 約 1,100 人 （全正社員の約７割）の ほぼ全員が在宅勤務 （残りは主に工場勤務者）
N 社	製造 （電気・電子機器、 ソリューション等）	１月以降、国内でも新型コロナウイルス感染拡大が懸念され始めた。社員の健康・安全を最優先に考えた結果、新型コロナウイルス感染予防策として、在宅勤務を柔軟に（毎日）運用できるよう、終日利用の上限回数を暫定的に撤廃した。**緊急事態宣言期間中は原則、在宅勤務**とし、緊急事態宣言解除後の６月以降は、政府の指針を踏まえつつ、**各組織で策定される出社計画に基づき**、**必要性・緊急性等の観点から社員に出社を依頼**し、入館時の検温、エレベーターや食堂施設の利用等といったソーシャルディスタンスを確保できることを確認しながら、**出社率を** 10% ～ 20% ～ 30% といったように**段階的に引上げてきた**	対象者（正社員のみ）約 1.6 万人中、 約 1.1 万人と常時 70 ～ 80% が 在宅勤務

※在宅勤務＝労働者が自宅で勤務、サテライトオフィス勤務＝メーンのオフィス以外の事業所やオフィスで勤務、モバイル勤務＝移動中を含め、臨機応変の場所で勤務と定義。

3. 揺り戻しを生じたのはなぜか

それでは、新型コロナウイルス感染症の問題を契機に、急速に普及したかに見えたテレワークが、こうした揺り戻しを生じたのはなぜだろうか。その理由について、ヒアリング調査から象徴的な報告を抜き出すと、例えば次のようなものがあげられる。

「(『緊急事態宣言』期間は）新型コロナウイルス感染拡大防止のための緊急避難（暫定的な通達運用）として、育児や介護等に限らず、上長が認めれば日数制限無く在宅勤務できるように対応した。ピーク時の実施率は本社の管理部門で 4 ～ 6 割、支店の管理部門でも 3 ～ 4 割に達したが、テレワークというより新型コロナウイルス感染拡大防止のためのひきこもりに近い状態で、『緊急事態宣言』の解除後は自然と通常勤務に戻って行った（現在は本社の管理部門や設計部門等で 2 割、支店で 1 割を下回る)」【A 社（建設)】

「(在宅勤務は 2003 年から導入してきたものの)、新型コロナウイルス感染拡大防止のための暫定的な対応（在宅勤務の対象者を、事務職・技術職やアシスタント職の最下等級の若年層と技能職の一部 (例えば企画や評価・試験を行う社員) にも拡大) 下で、利用が爆発的に増えた。『緊急事態宣言』期間は半ば強制的に、会社の号令に基づいて在宅勤務が進んだが、現在は無理のない形で実態に合わせた在宅勤務となっており、実施率は低下したもののネガティブには捉えていない」【H 労組 (製造 (自動車関連))】

「そもそも全職種・全階層を対象に、機密性の高い一部の仕事を除いて原則、在宅勤務が可能な環境にあったため、『緊急事態宣言』下では在宅で勤務する社員の割合が 8 割程度まで高まった。その後、実施率は顕著に低下しており、日々在宅で勤務する社員は 5 割程度となっている。『緊急事態宣言』下の『在宅勤務ありき』から、現在は個々人の選択の下、在宅勤務と出社のハイブリッドな働き方が進んでいる」【I 労組（製造（電機関連))】

こうした指摘に依れば、「緊急事態宣言」下におけるテレワークは、「半ば強制的に、会社の号令に基づいて進んだ」のであり、「テレワークというより新型コロナウイルス感染拡大防止のためのひきこもりに近い状態」も内包されていたことが分かる。

この「ひきこもりに近い状態」によるテレワークがどの程度だったかについては定かで無いが、先述した企業アンケート調査の 2 月調査でテレワークの導入目的（複数回答）をみると、もっとも回答割合が高いのは「新型コロナウイルス感染症の感染拡大への対応」で約 8 割（80.3%）にのぼり、これに「通勤負担の軽減」(33.8%）や「通勤者のゆとりと健康生活」(16.9%）が続き、次いで「自宅待機代わり」の発生率が 6 ～ 7 社に 1 社程度（14.6%）となっている（**図表 6**)。

図表６　テレワークの導入目的（企業アンケート調査）

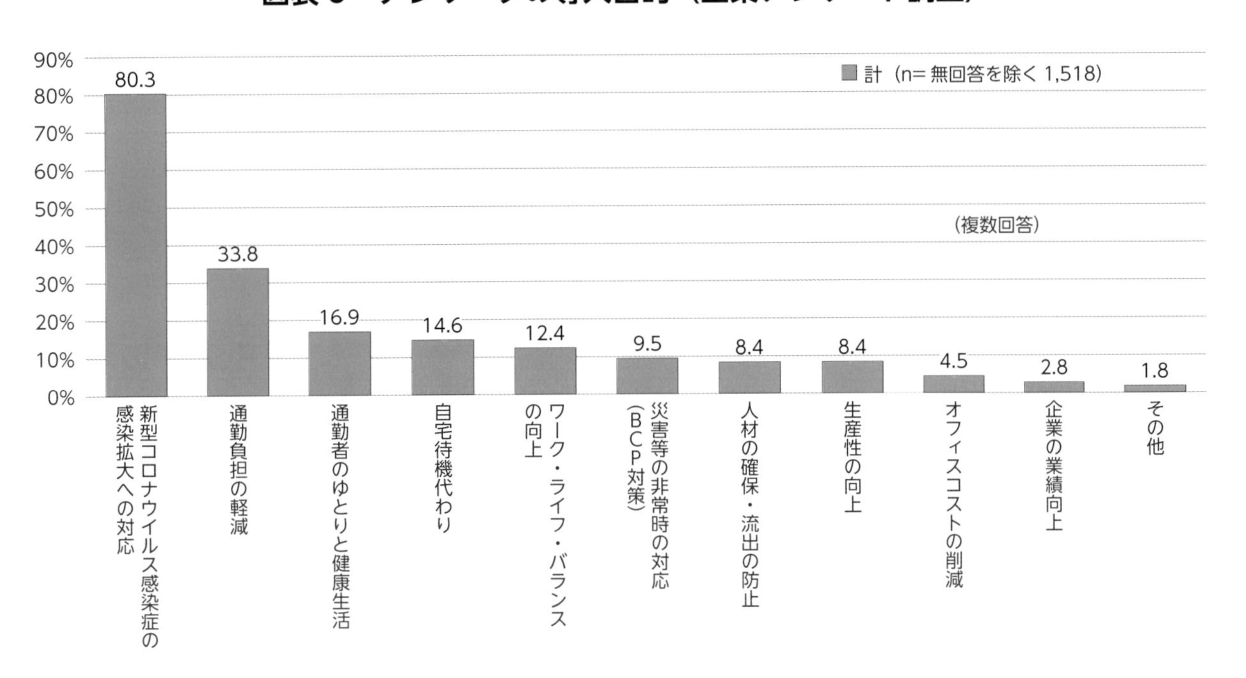

なお、テレワークが「自宅待機代わり」としても活用された理由として、ヒアリング調査では次のような指摘もあった。

「『緊急事態宣言』下の出社率は３割程度だったが、残りの７割すべてがテレワークをできていたというわけではない。当社のテレワークは、出張先や出先等から臨時的に行うことを想定してきたため、全社員が一斉に（セキュリティが確保された）社用専用回線を使用することはできない環境にあった（パンクしてしまう恐れが高かった）。そのため、一部の職員については、事実上の『自宅待機』になっていた」【Ｃ社（金融・保険）】

新型コロナウイルス感染症の問題が発生する以前からテレワークを導入してきた大手企業でもこうした事態に直面したくらいだから、社会全体でみれば新型コロナウイルス感染症という突発的な事象にいきなりのテレワークを余儀なくされ、必要な環境整備が追いつかない企業も決して少なくなかったのではないだろうか。

関連して、先述した企業アンケート調査の２月調査でテレワークの課題（複数回答）について尋ねた結果をみると、もっとも回答割合が高いのは「出社時と比べて、職場の人とのコミュニケーションが取りづらい」で約 3/4（75.5%）にのぼるが、これに「個人の業務の進捗や達成度の把握が難しい」（59.9%）や「業務の性質上、テレワーク可能な業務を切り出すことが難しい」（53.4%）が続き、「社員がテレワークするための環境整備が難しい（使用 PC の台数確保やテレワーク回線、セキュリティの問題等）」は第４位ながら、実に４割超（43.1%）の企業が回答している（**図表７**）。

図表７　テレワークの課題（企業アンケート調査）

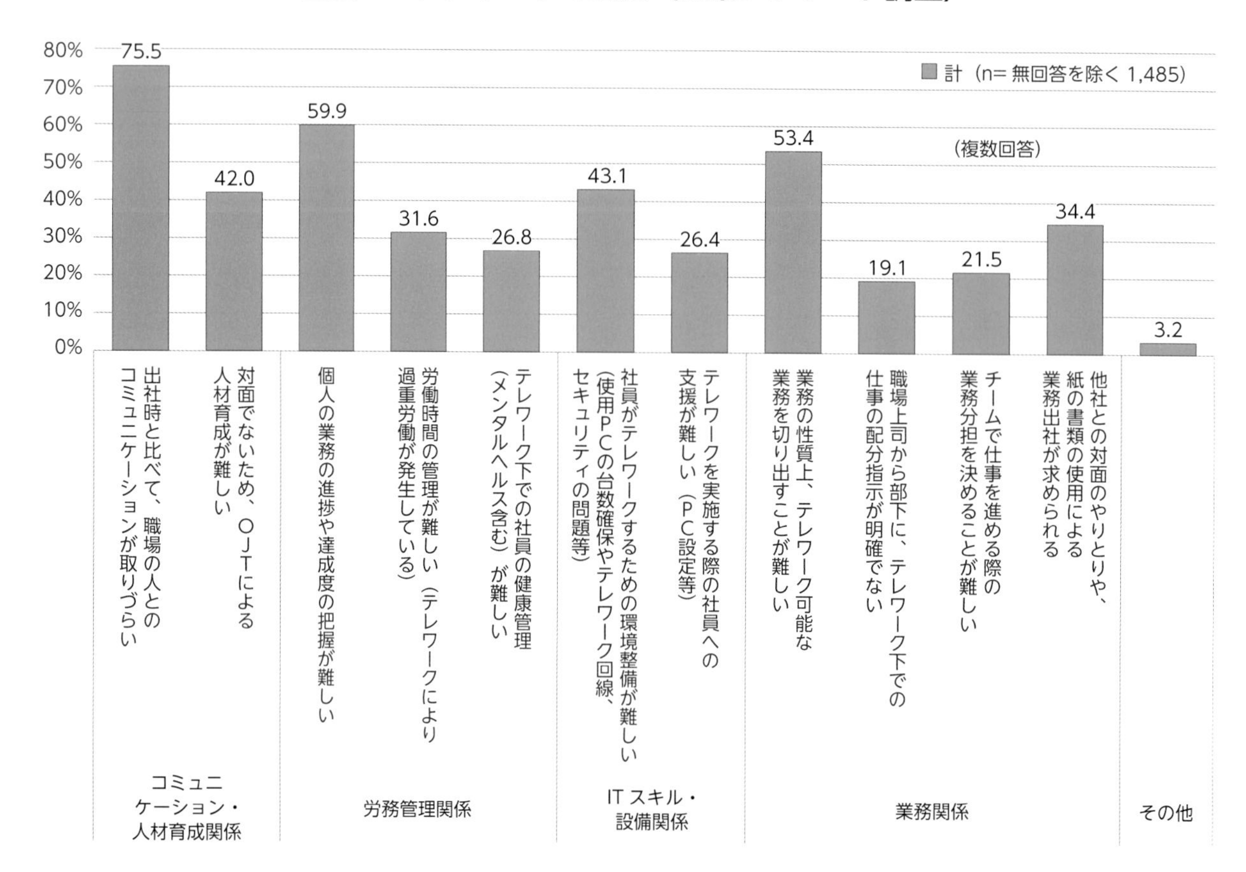

そもそもテレワークを円滑に行うためには、社外から社用メールを送受信できたり、オンラインのシステム上で勤怠管理を行い、決裁等手続きを電子的に完結できる、業務上、紙ベースの書類を確認したり、対面で説明する必要性を極力無くすなどといった必要な環境整備が求められる（**図表 8**）。

ヒアリング調査で、例えばＬ社（製造（食品））はテレワークの全社的な推進に向けて、次のような一連の準備を行ったと話している。まず、1991 年に「フレックスタイム制」、2001 年に「精算時の決裁システム」を導入し、2005 年より「ノートパソコン」への移行（出張・外出時対応）を順次、開始した。また、2007 年から「フリーアドレス」の導入、固定電話の廃止と携帯電話への移行、ペーパーレス化等による「第１次働き方改革」に着手し、2010 年より同様の内容を全国の事業所に水平展開する「第２次働き方改革」を推し進めた。更に同年、「稟議の決裁システム」や「電話会議システム」を導入し、晴れて 2014 年、自宅で週２回迄とする「在宅勤務制度」の導入に漕ぎ着けたという。

ここまでの対応は難しくても、例えば「WEB 会議、TV 会議の活用」は、新型コロナウイルス感染拡大のような事業継続を左右する危機的状況下にあっても、接触回避の営業活動等を可能にするとともに、テレワーク時の打合せツールとしても有効なことが知られている。しかしながら、個人アンケート調査の 12 月調査を基に、勤め先における「WEB 会議、TV 会議の活用」状況を規模別に確認すると、1,000 人以上の企業の 41.3% で活用されているのに対し、29 人以下では１割にも満たない（7.8%）（**図表 9** 左）。結果と

図表 8　ヒアリング調査各社におけるテレワークのための環境整備状況

		A社	B社	C社	D社	E社	F社	G社	H労組	I労組	J社	K社	L社	M社	N社
テレワークのための環境整備状況	社外から、社内の共有サーバにアクセス可能	●	●	●	●	●	●	●	●		●	●	●	●	●
	経理、人事等の専用システムに、社外からアクセス可能	●		●	●	●	●	●	●		●	●	●	●	●
	クラウド型のファイル共有システムを利用	●	●	●	●		●			●	●	●	●	●	●
	内外線一体型の電話を利用						●	●	●		●	●	●	●	●
	社外から、社用メールを送受信可能	●	●	●	●	●	●	●	●	●	●	●	●	●	●
	共有スケジューラーの利用	●		●	●	●	●	●	●	●	●	●	●	●	●
	チャットツール（Skype,Teams,Slack 等）を利用	●	●	●	●	●	●	●	●	●	●	●	●	●	●
	電子ファイルやオンラインのシステム上で勤怠管理	●	●	●	●	●	●	●	●		●	●	●	●	●
	テレビ会議・Web 会議を利用	●	●	●	●	●	●	●	●	●	●	●	●	●	●
	勤怠状況のモニタリング			●		●	●	●		●		●	●	●	
	テレワークの開始方法やルールにかかる説明会（e-learning 含む）						●			●		●	●	●	●
	VPN（仮想専用線）接続可能	●		●	●	●	●	●	●	●	●	●	●	●	●
	テレワーク拠点の配備						●	●	●	●	●	●		●	
	決裁等手続きの電子化		●	●			●	●	●		●	●	●	●	●
	決裁等手続きの簡素化（ハンコ文化の縮小）	●	●	●		●	●	●	●	●	●	●	●	●	●
	ペーパーレス化の推進	●	●	●		●	●	●	●	●	●	●	●	●	●
	テレワークに適した人事・賃金、評価制度への改定												●		
	テレワークに必要な健康確保措置を実施							●				●		●	
テレワーク者に対するPC等の貸与や関連費用の支給状況	インターネット通信回線の利用料の支払い	●						●			●				
	電話料金の支払い	●						●			●				
	総合的な一定額の手当の支給										支給予定	●	●	検討中	●
	ネット接続用の通信機器（Wi-Fi, 無線 LAN ルータ等）の貸与	●		●	●	●	●			●	●	●		●	
	PC 本体の貸与	●	●	●	●	●	●	●		●	●	●	●	●	●
	PC 周辺機器（モニター , マウス , キーボード等）の貸与	●	●	●	●	●	●				●	●		●	●
	スマートフォン、携帯電話の貸与	●			●	●	●	●	一部	●	●	●	●	●	●
	タブレット端末の貸与	●			●		●	●			●	●			
	事務用品（文具等）の支給							●			●				
	机や椅子、キャビネットの支給							○※							
	その他														

※福利厚生制度に費用補助あり

図表9　規模別にみた「テレワークの実施」状況と「WEB会議、TV会議の活用」状況（左）、及び両者の関係（右）（個人アンケート調査）

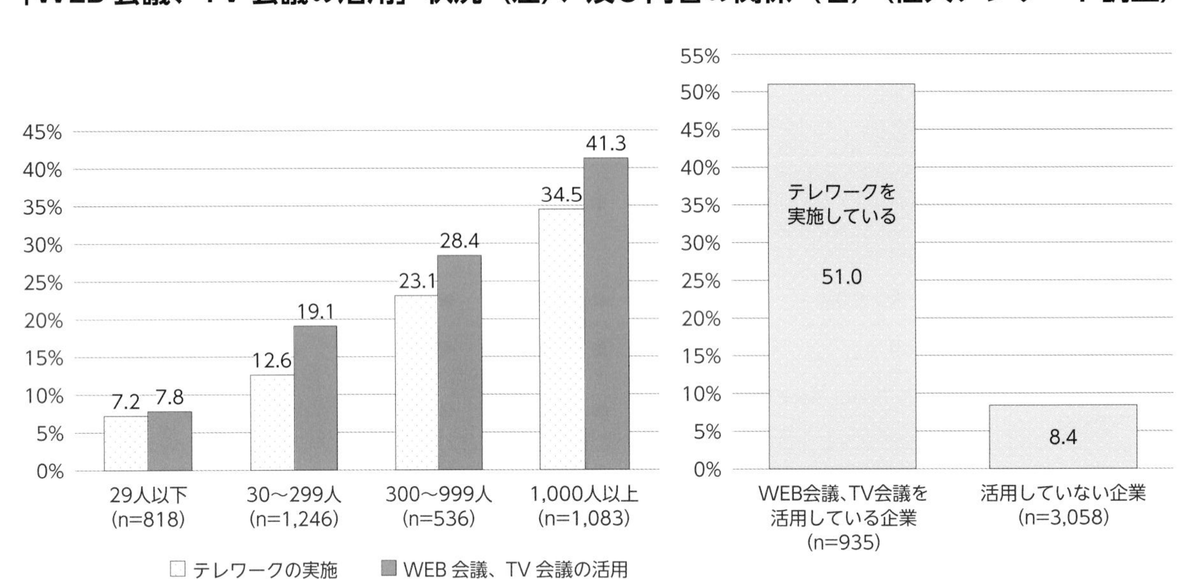

して、投資体力が不足する中小規模企業では「WEB会議、TV会議の活用」さえ儘ならないことが、「テレワーク」の実施率の伸び悩みに繋がっている恐れもあり（**図表9**右）、引き続きの政策的支援[8]が求められると言えるだろう。

そのうえで、話を3.冒頭の企業の指摘に戻すと、「緊急事態宣言」の全面的な解除以降は「自然と通常勤務に戻って行った」り、「個々人の選択の下、在宅勤務と出社のハイブリッドな働き方が進んで」いった。とは言うものの、「個々人の選択」等に委ねるとなぜ、「自然と」揺り戻されてしまうのだろうか。

その理由を探るため、先述した個人アンケート調査の12月調査でテレワークを経験しながらやめてしまったか、あるいは「緊急事態宣言」当時に比べて実施日数が減少している場合の揺り戻し理由（複数回答）を尋ねたところ、①「緊急事態宣言が解除されたから」（48.8%）との回答がもっとも多く、これに、②テレワークでできる仕事が、限られるから（顧客対応や特殊なシステム、紙ベース等、出社しなければできない仕事があるから）」（32.6%）、③「出勤抑制の会社指示が解除・緩和されたから」（28.0%）、④「報告・相談や社内調整・連携等、出社した方が仕事がスムーズだから」（19.2%）等が続いた（**図表10**）。

このうち、最上位にあがった「緊急事態宣言」を巡っては、「新型インフルエンザ等対策特別措置法」（昨年（2020年）3/13に改正、更に本年（2021年）2/3に再改正）の第32条第1項に基づき、7都府県を対象に初めて発令（昨年4/7）され、後に全都道府

8　新型コロナウイルス感染症対策の一環として、政府はテレワークの導入支援策を実施してきた。例えば、総務省はホームページに積極的な活用についての支援情報や、セキュリティ確保のためのガイドラインを掲載している。また、「テレワークマネージャー派遣事業」として、在宅勤務等を行うためのICT機器やシステム、情報セキュリティ、勤怠管理、その他の相談を受け付け、専門家による助言や支援を行っている。更に、厚生労働省は「働き方改革推進支援助成金（新型コロナウイルス感染症対策のためのテレワークコース）」を新設し、新規導入する中小企業に費用の一部助成を行っている。

図表 10　テレワークの揺り戻し理由（個人アンケート調査）

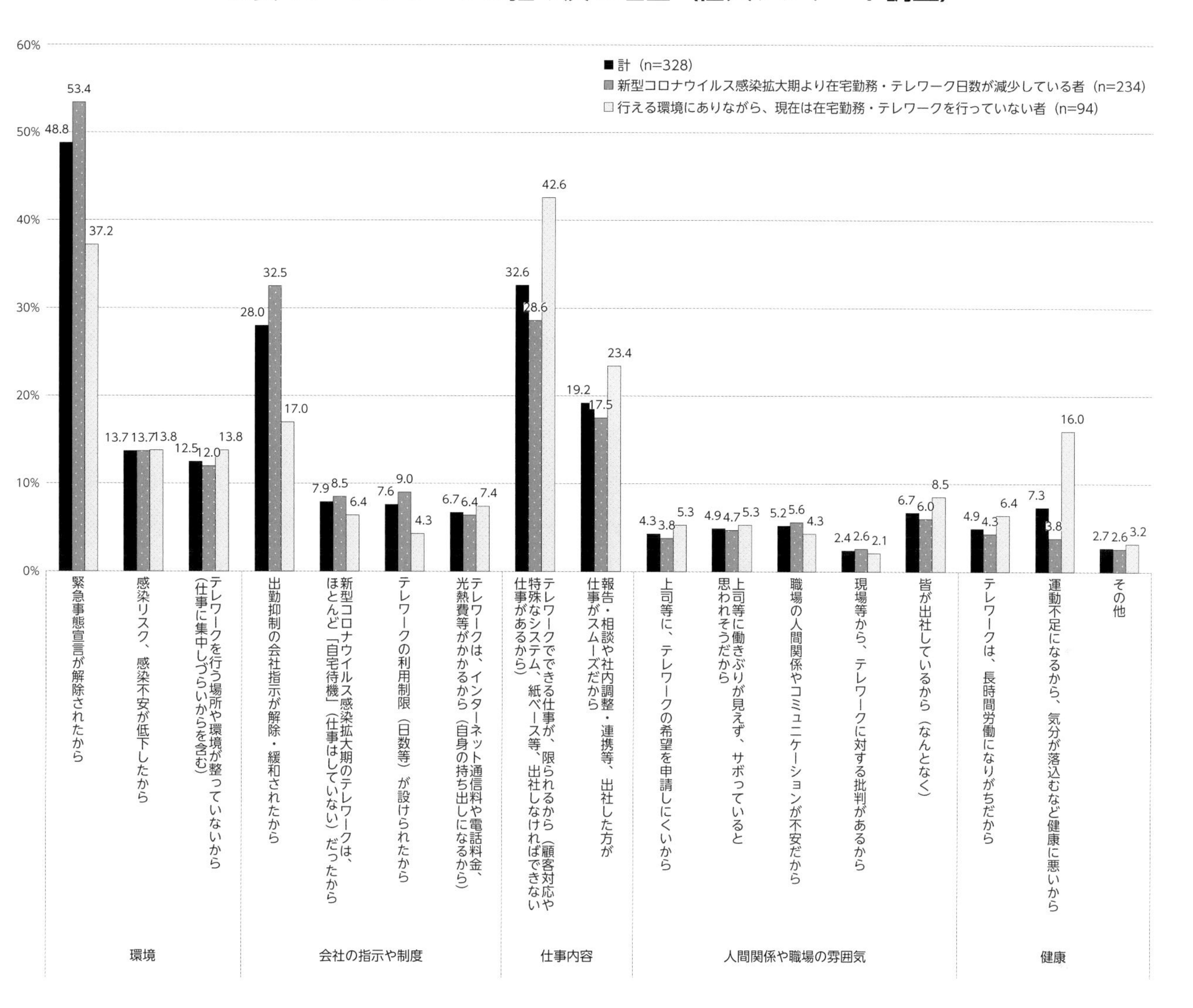

県へ拡大（4/16）されたが、これに際して当時の安倍首相が、「人と人との接触を最低 7 割、極力 8 割削減」するよう呼び掛け、各行政機関から都道府県を始め、所管団体や関係団体、経営者団体に対する協力要請が広く行われた経緯がある。

また、安倍首相は 3 月からの全国一斉休校も要請したが、「緊急事態宣言」に伴い休校期間を 5 月末迄延長する動きが拡がったため、子を持つ親にとってはその間、家での見守りが必至となった。結果として、わが国では私権制限を伴うロックダウン（都市封鎖）が行われなくとも、テレワークを含めた外出自粛の「今まで以上の強力な推進」が図られることとなった[9]が、それだけに全面解除で社会的な制約や協力の根拠を失い、簡単に復元作用が働いたということだろう。

9　こうした現象は世界各国に共通するものであり、「新型コロナ後に初めてテレワークした」との回答者が中国で 40%、イタリアで 37%、英国で 30%、米国で 29%、ドイツで 28%、韓国で 24% にのぼり、ロックダウン政策の厳格度合いと相関しているという（森健（2020）「新型コロナウイルスと世界 8 か国におけるテレワーク利用～テレワークから『フレックスプレイス』制へ」（野村総合研究所レポート））。

4. テレワークは今後のニューノーマルになり得るのか

ところで、そもそも「情報通信技術（ICTs）を活用した場所や時間にとらわれない柔軟な働き方」の総称としてのテレワークは、1970 年代の米国で「エネルギー危機とマイカー通勤による大気汚染の緩和を目的として始められた」(日本テレワーク学会ホームページ)とされている。その国内における進展状況について、柳原[10](2019)の整理によれば「満員電車の通勤が問題視され」て「第 1 次テレワークブーム」が起こったものの、「バブル経済の崩壊とともに下火となった」。その後、「生産性の向上を目的とする企業の思惑と通信環境の整備」に伴い、「SOHO（Small Office Home Office）の流行（第 2 次テレワークブーム）が起こった」ものの、「通信速度の制約等の技術的な問題」があった。

また、「2001 年から始まった国家戦略とブロードバンドの普及」により、国の政策としての「第 3 次テレワークブーム」が起こるも、リーマンショックに見舞われた。その後も、「2009 年の新型インフルエンザ問題」や「2011 年の東日本大震災に伴う災害危機対策」等に伴い注目を集めつつ、直近の拡がりは「2017 年のいわゆる『働き方改革』」を契機とするものであり、「第 4 次テレワークブーム」に位置づけられるという。なお、ヒアリング調査では、例えば F 社（製造（その他））から、「東京オリンピック・パラリンピック」開催に伴う交通緩和等に向けたトライアル等が展開される状況にあったことも報告された。

そうしたなか、改めて本稿冒頭の**図表 1** や**図表 3** を振り返ると、テレワークを実施している企業の割合は1/3社程度、また、勤務先で許容されていれば個々の雇用者がテレワークを行う日数（1 日以上）も、新型コロナウイルス感染症の発生前の約 2 倍で一定の定常状態に達していると見ることも出来る。すなわち、今般の急拡大を契機に、テレワークは今度こそ、恒常的な働き方として企業の人事制度等に組み込まれる「ニューノーマル」に遷移するのだろうか。あるいは、その後の揺り戻しを背景に、これまで同様の一過性のブームに終わるのだろうか。この点、ヒアリング調査で得られた回答を整理すると、**図表 11** の通りになった。

典型的な指摘を抜き出すと、例えば次のようなものがあげられる。

「積極的に取り組みたいと考えてはいるが、率直に言って『ニューノーマル』になることはないだろう。企業としてテレワークを推進する以上は、これまでの働き方では得られないプラスの効果がなければならない。新型コロナウイルス感染拡大防止策として急速に拡がった経緯があるが、テレワークを福利厚生や個人の権利にしてしまっては履き違える。そこは会社目線で、例えば労働力の確保や育児・介護、単身赴任等との両立、また、オフィスの有効活用や事業継続計画（BCP）への備え等といった、あえてテレワークを推進する目的を明確にする必要があると考えている」【A 社（建設）】

10　柳原佐智子（2019）「日本におけるテレワークの現状と今後―人間と ICT との共存はどうあるべきか」『日本労働研究雑誌』No. 709, pp16-27

「テレワークについて論じる時、通勤負荷の軽減等、職員個人のメリットだけに注目すると方向性を見誤ってしまう。テレワークを推進する以上は、会社にとってなぜ必要なのか、それが生産性の向上にどう役立つかを、しっかりと見極めて整理する必要がある」【C 社（金融・保険）】

一方で、次のような指摘も得られた。

「当社の CEO はもう、『コロナ前の働き方には戻らない』ことを明言している。現在、製造部門（工場）と物流部門はテレワークの対象外だが、それ以外の仕事については『テレワークを基本』としている。これに伴い、マネジメントや評価、賃金等のあり方の見直しについても検討中である」【J 社（建設関連（住宅設備機器・建材））】

「仮に新型コロナウイルス感染症の問題が収束しても、以前の状態に戻ることはないと考えている。これからは出社と在宅という二通りの働き方だけではなく、どこでも働けるという働き方を浸透させ、一人ひとりが最大のパフォーマンスを出せる働き方を選択できる状態を追求したい」【I 労組（製造（電機関連））】

「テレワーク勤務を巡っては、『コミュニケーション不足』や『テレワークできる職種・できない職種の間の不公平感』といった重い課題もあるが、少なくとも当社ではもう後退することはないだろうと考えている。テレワークがこれだけ進むと、『転居転勤』や『単身赴任』『通勤・通勤手当の範囲』のあり方も課題になってくるだろう。また、オフィスのあり方についても、検討余地が出て来るのではないか」【M 社（製造（食品））】

このようにテレワークが今後、ニューノーマルの働き方になり得るかどうかについては、大手企業であっても否定的な見方と肯定的な展望が拮抗している。ただ、少なくともヒアリング調査では、否定的な見方の企業からもこれを完全に廃止する見通しはきかれなかった。

先述した個人アンケート調査データを用いた分析では、「全体の傾向として見ると、一過性の拡大だった部分が否めない」ものの、「緊急事態宣言より前に在宅勤務が適用されていた人・会社では、宣言解除後の定着率が高」く、既に「『ニューノーマル』の働き方に移行」している可能性も示唆されている[11]。こうした萌芽を足掛かりに、「各社が Try & Error しながら、ニューノーマルが固まっていく」（J 社（建設関連（住宅設備機器・建材）））ということだろう。

11　高見具広「在宅勤務は誰に定着しているのか―『緊急時』を経た変化を読む」（JILPT リサーチアイ 第 46 回）、高見具広「緊急事態宣言（2020 年 4 ～ 5 月）下の在宅勤務の検証」（ディスカッションペーパー 21-01）

図表 11　ヒアリング調査各社における、テレワークが今後のニューノーマルになり得るかどうかについての見解

	業種	テレワークはどの程度、「ニューノーマル」になり得るか
A 社	建設	積極的に取り組みたいと考えてはいるが、**率直に言って「ニューノーマル」になることはないだろう**。企業としてテレワークを推進する以上は、**これまでの働き方では得られないプラスの効果がなければならない**。新型コロナウイルス感染拡大防止策として急速に拡がった経緯があるが、**テレワークを福利厚生や個人の権利にしてしまっては履き違える**。そこは会社目線で、例えば労働力の確保や育児・介護、単身赴任等との両立、また、オフィスの有効活用や事業継続計画（BCP）への備え等といった、あえてテレワークを推進する目的を明確にする必要があると考えている
B 社	製造（医薬品）	**これからは、どこの企業に属しても自律的に、高い競争力を発揮できるような人材になることが個人に求められている**。企業にとってはその時々に必要な有能人材を、如何に集められるかが重要になり、獲得競争の中で報酬水準は高騰する。結果として報酬格差がより一層、拡がることになるだろう。また、終身雇用の崩壊から報酬形態は年俸制など期間支払型が主流となり、退職金制度のあり方の見直しが必要となる。**テレワークは、個人が企業にすがり過ぎる結果になるなら、場合によっては廃止することも考えても良い**。集う人材と企業基盤を見極めながら、ジョブ型 / メンバーシップ型の舵取りをしていかなければならない
C 社	金融・保険	テレワークについて論じる時、通勤負荷の軽減等、**職員個人のメリットだけに注目すると方向性を見誤ってしまう。テレワークを推進する以上は、会社にとってなぜ必要なのか、それが生産性の向上にどう役立つかを、しっかりと見極めて整理する必要がある**
D 社	飲食サービス	世間的にテレワークは盛り上がっており、どんどん推し進められているように見えるだろうが、当社のような業種は対面で接客することで価値を生み出しているので、**テレワーク可能な仕事は全体のごく一部に限られている**。生産性向上の観点から、本部の一定業務や WEB 会議の推進といった一定の限られた範囲でテレワークは継続するが、不特定多数の顧客の来店に対面する店舗の感染対策よりも優先順位が高いものではない。**テレワークの推進を前面に打ち出し難い業種が現前としてあることもご認識いただきたい**。なお、店舗勤務の正社員でも、会議や研修については業務用スマートフォンを活用した在宅勤務が可能なため、今後は積極的に推進していきたいと考えている
E 社	小売	全員がそもそも（職務記述書に基づく）職務限定の完全職務給で採用・雇用されている（配置転換は原則無く、職種変更を希望する場合は社内公募による契約変更になる）ため役割分担が明確であり、テレワークに馴染みやすい環境に置かれている。また、5 年前から「コアタイムレス」のフレックスタイム制を導入しており、労働時間管理を本人に委ねて久しい点も、テレワークに馴染むと考えている。更に、期初には具体的な目標を立ててもらい、その進捗やコンピテンシーの発揮状況を評価・管理するため、テレワークにすることで社員がサボるということは考え難く、むしろ在宅勤務で働き過ぎてしまわないかという懸念がある。他方、店舗勤務の社員のテレワークは、やはり難しい。出来ても 1 日の報告レポートの作成のみ在宅勤務でといった程度。新型コロナウイルス感染拡大防止に伴い、顧客の需要がインターネット販売にシフトする動きも見られ、カスタマーサポートセンターへ社内公募で異動するような社員も出始めているが、やはり実際に手に取って確かめて購入したいというニーズもあり、店舗が一気に縮小するようなことはない。結果として、店舗運営を支援する本社でも 100% 在宅勤務はやはり難しく、週に 3 日程度は出社してもらう必要がある。**テレワークはある程度、定着するだろうが、要は「できる仕事は在宅勤務でやってもらっても構わない」程度ではないか**
F 社	その他製造	**「リモートワーク制度」を、当社のニューノーマルな働き方として確立して行きたい**と考えている。なかなか「まったく出社しなくて良い」迄にはならないかも知れないが、テレワークが一定程度、日常に組み込まれたニューノーマルな働き方として定着するだろう。また、併せて裁量労働制の拡大に舵を切ったが、今後は自律的に自身の目指すべきキャリアや目標に向けて仕事や研修等を選択する、いわゆるジョブを意識した働き方への移行が避けて通れないと考えている。左記のほか、「高度人財を惹き付けられる魅力ある処遇制度の確立」や「多様な働き方を認めるグループ内や社外における副業・兼業制度の導入」「キャリアオーナーシップに対する理解促進・定着（目指すキャリアに向けて自律的に、配置転換や研修等にチャレンジする風土の醸成、それによる日本型雇用慣行（ゼネラリストの養成）の見直し等）」といった制度改定にも取り組みたいと考えている。
G 社	公共交通，不動産等	以前より経営計画にも働き方改革を掲げ、労働時間の柔軟化に取り組んできたところだが、10 月からはサテライトオフィス勤務にとどまらず、在宅を含めた就業場所の柔軟化も規程化され、働く時間や場所を個々の社員が自律的に選択できるようになった。勿論、その選択は部門や時期等に左右されるが、一定程度は着実に定着していくだろうと考えている。今回のテレワークは半ば強制的に行われたが、アロケーションを含め、大きな社会変化が到来しようとしている。当社としても、そうした変化を受容しながら、対応していくことになるだろう
H 労組	製造（自動車関連）	既に、新型コロナウイルス感染症の影響で在宅勤務していることを忘れるくらい、日常に組み込まれている。**現在本社では 3 ～ 4 割が在宅勤務だが、こうした状況がこのまま定着するのではないか**。今後、オフィスや拠点のあり方の見直しなども、論点になるかもしれない
I 労組	製造（電機関連）	仮に**新型コロナウイルス感染症の問題が収束しても、以前の状態に戻ることはない**と考えている。これからは、出社と在宅という二通りの働き方だけではなく、どこでも働けるという働き方を浸透させ、一人ひとりが最大のパフォーマンスを出せる働き方を選択できる状態を追求したい。ただ、在宅勤務に当たっては、コミュニケーションが大きな課題となっている。テレワークは通勤をする必要性がなくなるメリットもあるが、**生産性が低下してしまっては元も子もない**。そのため、制度としては出来るだけ制限等を設けずに各職場に判断を委ね、工夫してもらっているが、まだ課題も多い。例えば、働きぶりや仕事ぶりをどう「見える化」するかについては、テレワークで必ず直面すると言っていい問題だが、当社でもその手段は「スケジュール管理」が大半である。共有ツールを活用して「見える化」を図っている職場もあるが、上司と部下のコミュニケーションに頼っている職場も存在する。上司と部下が上手くコミュニケーションを取れるよう、少なくとも四半期に一度は必ず、上司が部下と面談し、働きぶりのフィードバックを行っている

	業種	テレワークはどの程度、「ニューノーマル」になり得るか
J社	建設関連（住宅設備機器・建材）	**当社のCEOはもう、「コロナ前の働き方には戻らない」ことを明言**している。現在、製造部門（工場）と物流部門はテレワークの対象外だが、それ以外の仕事については「テレワークを基本」としている。これに伴い、マネジメントや評価、賃金等のあり方の見直しについても、検討中である。COVID-19問題を含め、これだけ想定外のことが次々、起こってくると、本当にAgileな人事を目指す必要があるだろう。どの企業にも共通した課題であり、各社がTry & Errorしながら、ニューノーマルが固まっていくのだろう。そのためにも、他社と直面する悩み等を共有しながら、社員がより幸せに働けるような環境づくりを、オール日本の人事部が連携しながら進められれば良いと思う
K社	製造（ソリューション等）	新型コロナウイルス感染症の問題を契機に、当社では働き方を全面的に見直そうと宣言した。グループ会社も含めてオフィスのあり方まで変えようとしており、**もう後戻りすることは無いだろう**。なお、当社ではこれまでの成果主義型人事制度から、仕事内容を明確に定めたジョブ型人事制度へ全社員を移行させる方向で舵を切ろうとしている。まずは管理職に導入し、その後、全社的に拡大出来るか見極めたい。最終的には一般職についてもジョブ型を追求しようとしているが、例えばイノベーションを生むことが役割である研究職等は、ジョブ型と職能型の複線型人事制度がふさわしいと考えている。また、新型コロナウイルス感染症の問題発生前からだが、ジョブ型を進めエンゲージメントを高めるためには、ボスが1on1でミーティングする必要があると呼び掛けてきた。折しも、1月から全社的に取り組み始めたなか、4月以降は上司と部下が直接対面できない状況に陥り、結果的にはこれを追い風にOn-lineを活用した1on1ミーティングが進み始めた。当社の人事制度は製造業ベースのものであるため、これまでは労働時間をものさしとする意識から脱却できなかったが、テレワークが強制され、時間も場所も自己判断に委ねられるようになり、嫌でも自立の方向に向かわざるを得ない環境となった。これは社員の意識を変革する好機だとも考えている。一方、社会における働き方や仕事が今後、どうなるかを考えてみると、「在宅勤務できる仕事・できない仕事」の峻別が進むのではないか。リアルに働いたことのない若者はこの点に着目して仕事を選ぶようにもなっていくのかも知れない。ひいては、日本人の仕事観も変わっていくだろう
L社	製造（食品）	テレワークを上手くマネジメントするには、**管理する側がより積極的に情報を取りに行かなければならない**が、それが面倒だから、**部下が目の前にいた方が安心だからとオフィス勤務に戻す動きさえあり、ナンセンス**と言って良い。重要なのはリモートにするかどうかではなく、そもそもどうしたら成果を上げイノベーションを起こせるのか、また、どうすればより円滑にコミュニケーションを図り、信頼関係を築けるのかだろう。そのために、社員を最適な場所で働かせ、もっと活躍してもらいながら、社員をより幸せにするにはどうすべきなのか、企業は常にこうした観点から離れることなく、議論していく必要がある。なお、テレワークは、ジョブ型でないと回らないということは全くない。当社でも、一部の管理職や（最近、増加している）中途採用者はジョブ型だが、一般職層については（ジョブローテーションも必要なため）ジョブ型への移行は特に考えていない
M社	製造（食品）	テレワーク勤務を巡っては、「コミュニケーション不足」や「テレワークできる職種・できない職種の間の不公平感」といった重い課題もあるが、**少なくとも当社ではもう後退することはないだろう**と考えている。いわゆるオフィス勤務者と製造ラインなど勤務者の不公平感については、なかなか対策が見当たらず出口が見えない課題である。工場をマネジメントする社員からは、「自分達を置き去りにしているのではないか、本当に工場も見てくれているか」といった声も聞こえている。工場でも間接部門（総合職が多い）については未だ、テレワークを取り入れる余地もあるが、製造直接部門（ライン）はなかなか難しい。それでも、出社率100%対0%のような両極の状態になってしまうとやり切れないという感情論も理解しており、**テレワークの更なる推進については慎重に考えなければならない**と感じている。また、テレワークがこれだけ進むと、**「転居転勤」や「単身赴任」「通勤・通勤手当の範囲」のあり方も課題になってくる**だろう。テレワークによる出社を100%認めれば、転居転勤（中でも単身赴任）する必要はなくなるだろうし、必ずしも通勤可能な範囲に居住する必要もない。当面、一切出社しなくて良い制度にはならないだろうが、今後検討する必要もあるだろうと考えている。そうした時に、**そもそもオフィスに来る意味合いをどう考えるか**。また、現行も固定席ではなく、8割出社を想定したレイアウト設計になっているが、**オフィスのあり方についても検討余地が出て来るのではないか**と考えている。なお、2019年4月より許容している**副業**については、1年目の利用者数が10人程度だったのに対し、新型コロナウイルス感染症の問題で在宅勤務が拡大した（通勤時間が削減された）結果、2年目は**倍程度に増加しており、変化の兆しも見られている**
N社	製造（電気・電子機器、ソリューション等）	Afterコロナに向けては、**現行と同様にテレワークをメーンの働き方に据えるのか、あるいは職種や部門等毎にテレワークの利用上限回数を設けるのかなど、当社なりの働き方を整理していく必要がある**。転勤については、例えば工場のラインの立上げや現地まで行かなければできない業務かどうか等、リモートで出来るか否かを見極めながら、**可能なものはリモートで進めていくことになる**と考えている。また、Realでは**収容人数に限界のあった会議も、オンラインであれば人数に関係なく開催でき、特に支障が生じない**ことに気付くことができたのは、この**コロナ禍におけるテレワークの副産物**であったと感じている。これまで経営の幹部以上のみが集まって開催していたMeetingを、Teamsを活用することで一般社員も含めて全社的に開催することができ、社員から大変好評だった。今後はこうした**オンラインのメリットを取り入れながら、出社と在宅勤務の望ましいハイブリッドのあり方を模索して行くことになるのではないか**。なお、当社は一定の役割以上に認定されれば、技術系・事務系を問わず裁量労働制を適用している。また、2015年からは「現在の役割」の大きさで等級を格付する制度も導入している。賃金は等級毎に範囲内で決定し、業績目標の達成度合い等（成果）に応じて、処遇差が大きく生じることもある。時間ではなく成果を重視した働き方は以前より社内に根付いていると言える

5. テレワーク経験で浮かび上がった課題に対し、ウィズコロナ・ポストコロナの働き方に向けてどのような対応が行われているのか

それでは、新型コロナウイルス感染症に伴うテレワーク経験を通じ、企業労使はどのような課題に直面し、どういった対応を行いながら、今後の働き方を追求しようとしているのだろうか。ヒアリング調査各社に直面している課題（複数回答）を尋ねると、①「コミュニケーション不足への対応」（12 社）がもっとも多く、これに、②「オフィスの役割やあり方の見直し」（10 社）や、③「テレワークに必要な健康確保措置（メンタルヘルス、運動不足解消、健康管理等）の実施」（9 社）等が続いた（**図表 12**）。

図表 12　ヒアリング調査各社におけるテレワークに伴い直面している課題

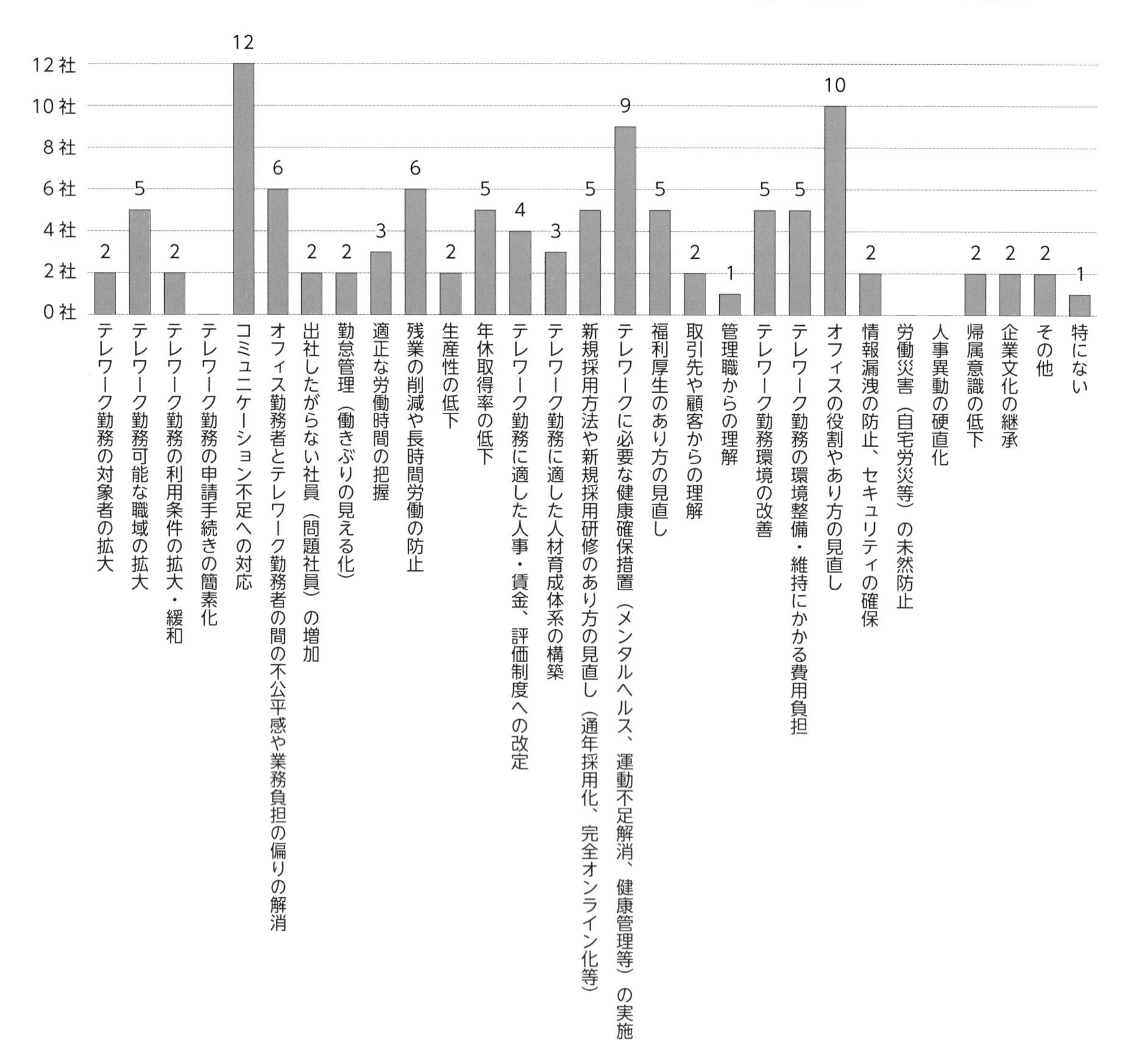

そしてこうした課題に対し、少なくとも調査時点で実施・検討されていた対応策を整理すると**図表 13** の通りになる。調査時点で、必ずしもすべての課題の対応方策が出揃っていたわけではないが、以降はいくつかの切り口で、ヒアリング調査で得られた対応のヒントを紹介してみたい。

（1）「コミュニケーションを推進する仕掛け作り」や「管理職によるマネジメントの改善」「出社のルール化」

直面する課題の上位にあがった「コミュニケーション不足への対応」や「テレワークに必要な健康確保措置（メンタルヘルス、運動不足解消、健康管理等）の実施」等を巡っては、ヒアリング調査各社から「コミュニケーションを推進するための仕掛け作り」や「管理職によるマネジメントのあり方の改善」といった取り組みを進めているとの報告が寄せられた。

例えばＮ社（製造（電気・電子機器、ソリューション等））では、「チームの生産性にはコミュニケーションが重要であることに気付き始めた職場もあり、オンラインによるランチ会や、朝夕礼時に積極的に雑談したり、企図してコミュニケーションの時間を確保しようとする取り組みが見られ、会社としても推奨している」という。一方で、「コミュニケーションロスによる孤立感を訴える声も上がっていることは認識しており、マネジメントからそうした部下をケアするように全社として対応するとともに、社内ポータルサイトに wellbeing 特集を掲載するなどして、心理的安全性を確保するための仕組みづくりも行っている」と教えてくれた。

また、例えばＫ社（製造（ソリューション等））では、「ネットワークにアクセスしている時間をすべて勤務時間とし、一定以上は例外無く保健師面談に繋げる取り組みを行っている」。更に、「若手は会社に来なくて良いことになり、さぞ喜んでいるのだろうと思いきや、テレワークだけだと承認欲求が満たされない、上司や同僚と触れ合えず自己喪失感を感じていることなどがアンケートを通じ分かってきた」とし、「On-line でも必ず週１回は集まって雑談も交えながらコミュニケーションを図るなどの取り組みも進めている」という。

また、例えばＬ社（製造（食品））は「テレワークを上手くマネジメントするには、管理する側がより積極的に情報を取りに行かなければならない」とし、「テレワークで仕事が上手く進まなくなったと言って来るような人や部署には、新型コロナウイルス感染症の問題発生前から、もともと上手く行っていなかったようなところが多い。謂わば、たまたま水が引いた結果、底が露呈したような状態。そうしたマネジメントが相談に来たら、昨年から始めた（部下と管理職の）1on1（ミーティング）のあり方等を研修するむしろチャンスだと捉えている」と教えてくれた。

一方、テレワークによるコミュニケーション不足等に対応しつつ、「生産性の向上」を図るため、その利用日数等については敢えて制限を設けることで、一定程度の「出社をルール化」する（しようとする）動きも見られた[12]。

12　東京商工会議所が昨秋、会員企業を対象に行った「テレワークの実施状況に関するアンケート」（2020 年 11 月公表）でも、有効回答が得られた 1,048 社のうち、テレワークを「一時期実施していたが、現在は取りやめた」割合が 22.1% となっている。その理由としては「業務の生産性が下がる」（45.7%）が最多で、「PC 等の機器やネットワークの整備」（39.7%）や「社内のコミュニケーション」（33.6%）等が続く。また、「一時期実施していたが、現在は取りやめた」企業のうち、約半数（50.4%）が今後、「実施する予定はない」と回答している。

図表 13　ヒアリング調査各社における「緊急事態宣言」以降の制度改定の状況・意向

	業種	「緊急事態宣言」以降の制度改定の状況・意向
A 社	建設	現場でも 65 歳を超えて働く社員にとって、週に 5 日・フルタイム勤務は体力的にきつくても、週に 1 ～ 2 日のテレワークを挟めば大分、負担が軽減される。テレワークでも、品質管理や積算等の仕事は充分可能で現場も助かるため、そうした場面での活用は是非、推進したいと考えている。**2021 年には、テレワークを広く一般社員を対象にする制度改定（規定整備）を行いたいと考えている**が、コミュニケーションやメンタルヘルスを確保する観点から、テレワークの利用については**月に 8 日・週に 3 日迄に制限する考え**
B 社	製造（医薬品）	労働組合とはかねてより、働き方改革関連の話し合いを重ねてきたが、2020 年 9 月にその要望を組み入れながら会社提案を申入れ、**①「自宅勤務制度の拡充」と「フレックスタイム制におけるコアタイムの廃止」（10 月改定）、② PC ログ照合体制の構築（自己申告時間と照合できる仕組みを年度内に構築）、③勤務形態関連手当等の再構築**で労使合意した。**③については、「事業所への出勤を前提とした通勤手当、給食施設や昼食補助手当、事業場外みなし／裁量労働制適用者手当等は総合的に検討して再構築する」**とし、「現行手当は当面継続支給するが、**リモートワーク手当の新設を含めて成案化**、改めて申し入れる」ことになった。なお、10 月からの利用限度の廃止に当たっては、「適用除外」要件（36 協定違反者、勤務時間適正申告問題者、生産性低下者はテレワーク不可とする規則）も明記した
C 社	金融・保険	メンタルヘルスやマネジメントの観点から、**今後は利用制限を設ける予定**。テレワーク勤務に適した人事・賃金制度のあり方については、その必要性の有無も含めて検討中。なお、**オフィスのあり方やフリーアドレス化**についても、一定の出社率で仕事を回すことができないか、それによりオフィスコストをどの程度、削減できるのか、また、全国の自社所有物件をサテライトオフィスとして活用できないか等、具体的に検討している
D 社	飲食サービス	緊急事態宣言の解除後 7 月以降については、飛沫・接触感染の防止環境が充分整ったことを受け、テレワークの臨時的な実施を解除した上で、本部の正社員に限定した働き方として、**①生産性の向上や、②短期的なライフイベント（出産・育児・介護等）への対応を目的に制度化に踏み切った**。ただ、本部の大半は、各店舗からの問合せ対応等であり、メニュー開発のような仕事もテストキッチンは本部にある。結果として、テレワークに向いている仕事は、誰にも話し掛けられずに集中して何かを纏め上げたいといったものに限られている
E 社	小売	緊急事態宣言解除後の 6 ～ 9 月については、出勤者数を各部門とも 50% 未満に抑制するよう要請し、その後、一斉在宅勤務でコミュニケーション不足を課題認識したことから、**10 月以降は在宅勤務の利用を週 2 日迄に制限**した（やはり対面でのコミュニケーションが一定程度は必要と感じ、また、11 ～ 12 月の繁忙期を前に店舗の運営支援が従来通り円滑に進むようにするため、一定の出社を必須にした）。なお、双方の合意がある場合には、一部派遣社員についても在宅勤務を認めている。また、～ 9 月末迄は年 4 回、通勤定期代相当額を前払いしていたが、10 月以降は毎月、**往復の交通費×出勤日数の実費額を後払いする形に変更**した
F 社	その他製造	10 月より、サテライト勤務やモバイル勤務を含めた**テレワークを自律的な働き方の一つとして認める「リモートワーク制度」の導入**に踏み切った（出社が困難な場合の「在宅勤務制度」も別建てで併存）。リモートワークは担当する仕事と業務遂行能力に応じ、生産性や適応性が異なっていることを踏まえ、**タイムカード勤務者（通常の労働時間制度の適用者、若年層・下位等級者）の利用は週 2 日目安、フレックスタイム制適用者（全部門・全職種の下位以外に適用）は週 3 日目安、企画業務型の裁量労働制適用者（事業企画、営業企画部門等の中堅層以上）や専門業務型の裁量労働制適用者（研究開発職やデジタルトランスフォーメーション（DX）部門等の上位層）と管理職は上限無し（フル在宅も可能）とした**。また、アンケート結果等を受けて、フレックスタイム制についてはこれまで 11 ～ 15 時に設定してきた**コアタイムを撤廃**し、1 日 3 時間以上勤務すれば出勤扱いとし、在宅勤務中は**仕事の一時中断**（例えば、子どもの学校に合わせて 8 ～ 15 時まで働いた後、子どもの世話を終えて 20 時～再開するなどといった働き方）**も認めた**。更に、従来は一部の営業・企画部門にのみ認めていた**裁量労働制**を、デジタルトランスフォーメーション（DX）部門や新規事業の開発・企画部門、研究開発部門にも**新たに導入**した
G 社	公共交通，不動産等	10 月より、「本社」の勤務者全員を対象に、**在宅勤務を含めたサテライトオフィス・シェアオフィス以外での勤務を規程化**した
H 労組	製造（自動車関連）	新型コロナウイルス感染拡大への対応（特例）として、在宅勤務の対象者を事務職・技術職やアシスタント職の最下等級の若年層と、技能職の一部（例えば企画や評価・試験を行う社員）にも拡大したが、**その後、正式に制度化**した。なお、生産現場を担う技能職は一部を除き対象外だが、今後も更なる拡大に向けて、労使で議論する。また、これまでは**「週に 2 時間は在社」という条件**が課されていたが、今般の利用者拡大を契機に**撤廃**された
I 労組	製造（電機関連）	当社は制度変革の時代を迎えている。会社が制度を固定的に決めるのではなく、自ら考え自ら決めて行動する仕組み作りが進められている。利用回数等の全社的な統一要件は無く、事前申請の必要もないが、趣旨に則した利用となるよう、職場毎に判断し必要なルールを決めている。テレワークの制度導入時に、趣旨にそぐわない利用は対象外とする等の除外規定も設けられたが、これまでのところ該当者は出ていない。現在のところ、管理をより厳しくしようという雰囲気もないが、**時間外労働（残業）時間が増加傾向**であり、ワーク・ライフ・バランスの観点から要因分析を進め対策を講じている。例えば、在宅勤務の勤怠管理については（打刻の自己申告に加えて）**PC の利用状況と連携するようなシステムも導入**した。なお、在宅勤務に関連した制度見直して、**この 10 月から「交通費の実費精算」**へ（各人の定期券切れのタイミングで）切り換え始めた。**光熱費の負担についても、交渉を継続**している
J 社	建設関連（住宅設備機器・建材）	週 3 日以上のテレワーク勤務者については、**2021 年 4 月より**通勤手当の支給から**交通費の実費精算に切り換える**とともに、**テレワーク関連手当として月 5,000 円の支給を検討**している

	業種	「緊急事態宣言」以降の制度改定の状況・意向
K社	製造 （ソリューション等）	本年７月より通勤手当を廃止し、**交通費の実費精算に改める**とともに、**在宅勤務の環境整備補助費用として月額5,000円を全社員に支給**している。また、テレワークの定着に伴い、仕事内容を精査の上、テレワークが可能なら、例えば関西本部の所属でも家族が住む都内在住に戻すようなことも取り組み始めた。**テレワークと出張で対応可能な単身赴任者については、順次、在宅勤務に切り換えたい**と考えている
L社	製造 （食品）	「ニューノーマルの働き方（New Workstyle）」（7月策定）として、**フレックス勤務のコアタイムを廃止**した。また、テレワークを基本にしても業務に支障が無いと所属部門が認めれば、単身赴任も解除することにした。更に、通勤定期券代に替わり、**出社時の交通費を実費で支給**するとともに、**環境整備に必要な費用を一部補助する「モバイルワーク手当」（一時金）を支給**している。なお、勤怠管理は自己申告で行っているが、残業も含めて労働時間だけ長くても、成長しない社員は自ずと分かるものなので厳格化は考えていない
M社	製造 （食品）	本年７月に「Withコロナの働き方」を策定（①出社は組織単位で在籍人員の40％迄になるようローテーションを組む、②**個人毎の標準出社は週２日を目安**とする、③**最低でも週１日は在宅勤務を行い週１日は出社**）するとともに、生産性の観点から、例えば商品開発やプロジェクト等でディスカッションを要する仕事はオフィスで行い、個人で集中してレポートを書くような仕事は在宅でといった具合に、**「出社」と「在宅」の目的を明確化**した。更に、（学校の休校等も一因としつつ、これまでの働き方にとらわれない労働生産性の向上やワークライフバランスの追求に向けて）「**フレックスタイム制度のコアタイム（10～15時）の撤廃**（5時～22時迄の間に１日４時間以上の勤務で出社とみなす）」や「**終日のテレワーク勤務の上限の週４日への引上げ**」等も行った。また、テレワーク勤務者に対しては10月より通勤手当の支給を廃止し、**交通費の実費精算に切り換え**た。新型コロナウイルス感染拡大防止に向け、こうした柔軟な対応を迅速に進めたが、特段の混乱が見られなかったのは、2014年度より社員の働き方の自由度を高め、自律的に生産性の向上に繋げるための「働き方改革」に着実に取り組んできた下地があったからと受け止めている。なお、１月からの導入に向けて、テレワークの対象部門に月３千円程度の手当支給を検討中である
N社	製造 （電気・電子機器、ソリューション等）	社員の健康・安全を最優先に考えた結果、新型コロナウイルス感染予防策として、テレワークを柔軟に運用できるよう、**終日利用の上限回数を暫定的に撤廃**し、毎日テレワークができる環境を整えた。フレックスタイム制度については、これまでは9:30～15:30をコアタイムとしてきたが、**暫定対応として６月からコアタイムを無くし**、ビジネスタイム（9:00～17:30）を意識した自由な時間帯で勤務が可能となっている。**恒久的な対応は今後、労働組合と協議する予定**となっている。**７月より通勤手当を実費精算に切替えた**。さらに在宅勤務に伴う諸費用やよりよい環境整備、出社時に必要なマスク・消毒用品等の購入の支援を目的に、**月5,000円の特別手当を全員に支給**するようにした

例えばＦ社（製造（その他））では社員アンケート等を通じ、リモートワークは担当する仕事と業務遂行能力に応じて「生産性」や「適応性」が異なることが明らかになったため、「タイムカード勤務者（通常の労働時間制度の適用者、若年層・下位等級者）」によるリモートワークの利用は「週２日を目安」とし、「フレックスタイム制適用者（全部門・全職種の下位以外に適用）は週３日を目安」に制限することとした。なお、企画業務型（事業企画、営業企画部門等の中堅層以上）や専門業務型（研究開発職やデジタルトランスフォーメーション（DX）部門等の上位層）の裁量労働制適用者と管理職については、制限無し（フル在宅も可能）としている。

同様にＭ社（製造（食品））も、①最低でも週１日は在宅勤務を行うが週１日は出社すること、②個人毎の標準出社は週２日を目安とすること、③出社は組織単位で在籍人員の40％迄になるようローテーションを組むことというルールを据えた。また、「生産性の観点から、例えば商品開発やプロジェクト等でディスカッションを要する仕事はオフィスで行い、個人で集中してレポートを書くような仕事は在宅でといった具合に、『出社』と『在宅』の目的を明確化した」という。

このほか、例えばＡ社（建設）は「コミュニケーションやメンタルヘルスを確保する観点から、テレワークの利用については月に８日・週３日迄に制限する考え」で、Ｃ社（金融・保険）も「メンタルヘルスやマネジメントの観点から、今後は利用制限を設ける予定」としている。

なお、一律の利用制限等は行わないものの、例えばＢ社（製造（医薬品））のように「36協定違反者」や「勤務時間の適正申告問題者」「生産性低下者」については、「テレワークを不可とする適用除外要件」を明記する取り組みも見られた。その意味合いについて、同社は「ワークライフバランスの実現に向けて、すべてテレワークでできるようにすることは勿論、良いことだと思うが、それは充分な実力を身につけビジネスを推進・完結できる者の話。未だ能力開発途上の者やセルフマネジメントができない者の活用頻度は、本人の成長ひいては会社の生産性向上の観点から絶えず注視していく必要があると考えている」と説明している。

（2）「勤怠管理の改善」や「生産性の向上」等に向けた取り組み

直面する課題（**図表12**）にあがった「適正な労働時間の把握」や「勤怠管理（働きぶりの見える化）」等に関しては、ヒアリング調査各社におけるテレワークの勤怠管理等を纏めると**図表14**の通りになるが、その改善に向けて「（打刻の自己申告に代えて）PCの利用状況と連携するようなシステムの導入」（I労組）に踏み切ったり、「自己申告時間とPCログを照合できる仕組みの構築」（B社）を目指す企業労使も見られた。

他方、「PCのログイン・ログアウトの時刻を把握したとして、その間の時間が本当に働いている時間なのかも含め、今後、企業がどこまで対応すべきなのか」（E社（小売））といった指摘や、「テレワークは時間と場所の制約なく柔軟な働き方が可能であること等から、みなし労働時間制との親和性が高いと感じている。所定の安全配慮を前提に、企画業務型裁量労働制等の適用範囲が拡大されることが望ましい」（金融・保険）との指摘、また、「現在の法律はいわゆるワーカーを管理する要領での労働時間規制であり、工場法から連綿と続く概念が根強いと感じており、このままではグローバルな競争に耐えられないのではないかと危惧している。社員がより柔軟に働くことができるように改定をご検討いただきたい」（N社（製造（電気・電子機器、ソリューション等））等、労働時間規制の見直しにかかる政策要望も幅広く寄せられた。

こうしたなか直面する課題（図）には、「残業の削減や長時間労働の防止」も多くあげられているが、テレワークの生産性について、企業労使はどのように受け止めているのだろうか。そもそも「生産性」をどういった指標で見るかという課題もあるが、例えば労働時間の長短に着目して尋ねた限りでも、ヒアリング調査各社の評価は交錯している。

「在宅勤務が日常に組み込まれた昨今、時間外労働時間が増加傾向であり、生産性の低下を危惧している。職場では、生産性が上がったという声も聞かれるが、データに現れるには至っていない。在宅勤務は仕事の止め時が分からないという声や、時間帯を気にせず安易に連絡をしてしまうなどの事例があると聞いている。また、労働組合としては、休暇取得率が低下傾向にあることを危惧している」【I労組（製造（電機関連））】

図表 14　テレワークの勤怠管理や通信管理の状況

勤怠管理

	業種	Web 上で労働者が自ら打刻・タイムスタンプ	上長等にメールや電話で報告	PC 等のログ時刻を取得	その他
A 社	建設	●	●	―	―
B 社	製造（医薬品）	●	●	―	―
C 社	金融・保険	●	―	●	―
D 社	飲食サービス	●	―	●	―
E 社	小売	●	―	―	―
F 社	その他製造	●	―	―	―
G 社	公共交通，不動産等	●	●	●	Teams を有効に、Outlook に記入
H 労組	製造（自動車関連）	●	●	―	―
I 労組	製造（電機関連）	●	―	●	職場毎にルールを規定
J 社	建設関連（住宅設備機器・建材）	●	―	●	社内 SNS チャット
K 社	製造（ソリューション等）	●	●	●	PC ログと勤怠打刻に乖離がある場合は内容を確認
L 社	製造（食品）	●	―	―	―
M 社	製造（食品）	●	―	―	自らの打刻について、Outlook スケジューラーとの齟齬が無いよう確認を求めている
N 社	製造（電気・電子機器、ソリューション等）	●	●	―	―

通信管理

	業種	PC 等を受診可能にし、会社からの連絡を常時、受け取れるよう求めている	対応は社員に任せている（受信は特段、求めていない）	原則受信を求めているが、必要に応じた対応も許容
A 社	建設	●	―	―
B 社	製造（医薬品）	―	●	―
C 社	金融・保険	―	●	―
D 社	飲食サービス	●	―	―
E 社	小売	―	―	●
F 社	その他製造	●	―	―
G 社	公共交通，不動産等	●	―	―
H 労組	製造（自動車関連）	―	●	―
I 労組	製造（電機関連）	―	―	●
J 社	建設関連（住宅設備機器・建材）	―	●	―
K 社	製造（ソリューション等）	―	●	―
L 社	製造（食品）	―	●	―
M 社	製造（食品）	●	―	―
N 社	製造（電気・電子機器、ソリューション等）	―	●	―

「新型コロナウイルス感染症の問題に伴うテレワーク拡大の一方で、『巣ごもり消費』による予想外の（嬉しい）生産拡大（工場の稼働率アップ）で残業が増えたことや、営業・商談のオンライン化（対面を伴わない提案活動の再構築）等で予定外の労働時間が計上されたこと、また、休んでも行くところがないなどの影響で年休取得率が低下していること（2019 年は約 83%、2020 年はこれまでのところ約 60%）等に伴い、結果として実労働時間の長さはほぼ横這いで推移している」【M 社（製造（食品））】

「労働時間の長さは、二極化している印象がある。定型的な業務を行う社員は短くなっているケースがある一方、高度に専門的な業務を担う社員は、グローバルで 24 時間繋がることができる環境になりむしろ長くなっているケースもある。新型コロナウイルス感染拡大のビジネスへの影響（業務量の増加）もあるだろう。また、管理職はこれまでと異なるマネジメント方法が必要となり、部下のフォローアップ等に時間を要しているケースもあると見ている」【N 社（製造（電気・電子機器、ソリューション等））】

「テレワークを導入することで、予想外にも残業が削減されている。この間、（東京オリンピック・パラリンピックの開催等に向けて）何度かテレワークトライアルを行ってきたことで徐々に慣れ、日頃から一人で没頭して行うべき仕事を在宅勤務用に残して置き、一方で協議・連携を必要とする仕事を出社時に集中して行うなど、出勤して行う仕事と在宅で行う仕事を自ら判断・工夫できるようになっていることが、効率性の向上に繋がっている側面もあるのではないか」【F 社（その他製造）】

「2020 年第 1 四半期の残業時間が、対前年同期比で 17% 削減された。新型コロナウイルスによる事業停滞の影響によるものなのか、在宅勤務により生産性向上が図られたことによるものかはわからないが、今後の推移を注視したい」【G 社（公共交通，不動産等）】

他方、ヒアリング調査ではテレワークによる「生産性の向上」や、これまでの働き方に囚われない「ワークライフバランスの追求」等に向けて、「フレックスタイム制におけるコアタイムの廃止」等で利便性を高める動きも見られた。

例えばＦ社(製造(その他))は、テレワークを自律的な働き方の一つとして認める「リモートワーク制度」の導入（昨年 10 月）に伴い、11 ～ 15 時に設定していた「フレックスタイム制のコアタイムを撤廃」し、「1 日 3 時間以上、勤務すれば出勤扱いにする」とともに、「在宅勤務中の仕事の一時中断（例えば、子どもの学校に合わせて 8 ～ 15 時まで働いた後、世話を終えて 20 時～再開するなどといった働き方）」も認める制度改定を行った。

また、例えば M 社（製造（食品））も昨年 7 月、10 ～ 15 時に設定していた「フレックスタイム制度のコアタイム」を撤廃し、5 時～ 22 時迄の間に 1 日 4 時間以上、勤務すれば出社とみなす制度改定を行ったが、同社ではそもそも「テレワークを交えた会社と個人の間の働き方のルール」として、Outlook のスケジューラーに業務計画等をすべて記入するよう要請し、自らの打刻とも齟齬が無いよう求めている。これにより、「会社は各人が今、どのような就業状態にあり、どういった仕事に従事しているかを一覧することができる」といい、「その入力は、会社と個人の信頼関係を左右する重要なものだと考えて」おり、人による巧拙はあるものの、より早期に上長に成果・進捗を報告するなど、「個々の社員の自己管理能力が向上してきている」ように感じているという。

なお、テレワークによる「生産性」については次のように、多面的に考えているとの指摘もあった。

「職員個人だけではなく、会社組織としての『生産性』をどう考えるかという概念整理を始めた。テレワークによる地方人財の活躍支援やオフィススペースの削減等もその一環だと考えているし、デジタルトランスフォーメーション（DX）推進手段の一つとして、テレワークを位置づけられないかとも考えている」【C 社（金融・保険)】

「テレワークが営業スタイルの変革に繋がり、より効果・効率的な営業が行われるようになっている。営業のOn-line化自体は以前から取り組んできたものの、COVID-19問題に伴い加速した感がある。On-lineの方が顧客ニーズにスピード感を以て対応できる、忙しいトップクラスの専門家や事業責任者、場合によってはCEOまで登場させることができるなど、On-lineならではの付加価値化が進んでいる」【J社（建設関連（住宅設備機器・建材））】

また、テレワークと同時に拡がった「WEB会議、TV会議の活用」による生産性についても、次のような指摘があった。

「WEB会議については、コロナ禍を機に多いに活用されるようになり、その有効性が認識され生産性も高まっていると感じている。これまで、地方の店長会議は数百㎞移動することも少なくなく、相当の交通費や移動時間を要していたが、大幅な削減に繋がっている」【D社（飲食サービス）】

「Realでは収容人数に限界のあった会議も、オンラインであれば人数に関係なく開催でき、特に支障が生じないことに気付くことができたのは、このコロナ禍におけるテレワークの副産物であったと感じている。これまで経営の幹部以上のみが集まって開催していたMeetingを、Teamsを活用することで一般社員も含めて全社的に開催することができ、社員から大変好評だった。今後はこうしたオンラインのメリットを取り入れながら、出社と在宅勤務の望ましいハイブリッドのあり方を模索して行くことになるのではないか」【N社（製造（電気・電子機器、ソリューション等））】

(3)「通勤手当の廃止」と「リモートワーク手当の新設」「オフィスのあり方の見直し」

ヒアリング調査ではまた、テレワークを進める中で実施ないし検討を開始した労務面での制度改定として、14社中7社が「通勤手当の見直し」（交通費の実費精算へ切り換え）をあげ、6社が「リモートワーク等手当の新設」をあげた。

例えばN社（製造（電気・電子機器、ソリューション等））は昨年7月より、「通勤手当を実費精算に切替え」るとともに、「在宅勤務に伴う諸費用やよりよい環境整備、出社時に必要なマスク・消毒用品等の購入の支援」を目的に、月5,000円の特別手当を全員に支給するようにした。また、B社（製造（医薬品））も昨年9月、事業所への出勤を前提にした通勤手当、給食施設や昼食補助手当、事業場外みなし／裁量労働制適用者手当など「勤務形態関連手当等の再構築を行う」ことで労使合意に至り、「現行手当は当面継続支給するが、リモートワーク手当の新設を含めて成案化し、改めて申し入れる」ことになっているという。

こうしたなか、「テレワークを基本にしても業務に支障が無いと所属部門が認めれば、単身赴任も解除することにした」との報告（製造（食品））や、「転勤についてはリモートで出来るか否かを見極めながら、可能なものはリモートで進めていくことになると考えている」（製造（電気・電子機器、ソリューション等））という報告もあった。結果として、「人件費の削減」効果を実感している企業が4社見られた。

ヒアリング調査では更に、直面する課題（**図表12**）の上位にあげられているように、「オフィスそのもののあり方」まで見直そうとする動きも確認された。

例えばJ社（建設関連（住宅設備機器・建材））は、都内20拠点超の本社への段階的な集約に向けたプロジェクトが進んでいるほか、本社に通いながらも埼玉や千葉、神奈川から通勤している社員については、各地域の営業拠点をサテライトオフィスとして開放する取り組みを試行的に行っていると教えてくれた。同社は今後、「在宅を基本としながら、オフィスはFace to Faceでクリエイティブな議論を喚起し、イノベーションを起こさせるような工夫が出来ないか模索している」という。

同様にK社（製造（ソリューション等））でも、「新型コロナウイルス感染拡大防止のため、出勤率を25%に抑制するよう要請しているが、実際には10～15%の出社しかなく、在宅勤務やオンライン会議等で充分、仕事が進んでいる。テレワークが定着した分、オフィスは閑散とするようになり、オフィスのあり方も見直す運びとなった」。「これからは生産性を上げるのはむしろテレワークで、オフィスは問題解決と学習の場に変化していくのではないか」とし、「今後はグループ会社も含めて原則、独自のオフィスは持たない方針で、各社員の所属事業所という概念も無くしていきたい。また、オフィスの変容も活用しながら、会社に来るのは謂わば‘晴れの日’だと、リアルに触れ合う場の提供も行っていきたい」と展望している。

（4）人事評価制度の見直し

ところで、新型コロナウイルス感染拡大に伴うテレワークの普及を契機に、今こそ「メンバーシップ型」の伝統的な日本的雇用慣行を脱し、「ジョブディスクリプション（職務記述書）」で、個々の仕事や処遇を明確にする「ジョブ型」雇用へ転換する必要があるとの主張も多くきかれるようになった[13]。実際に直面する課題（**図表 12**）でも、「テレワーク勤務に適した人事・賃金、評価制度への改定」をあげた企業が4社見られ、例えば次のような報告があった。

「当社ではこれまでの成果主義型人事制度から、仕事内容を明確に定めたジョブ型人事制度へ全社員を移行させる方向で舵を切ろうとしている。まずは管理職に導入し、その後、全社的に拡大出来るか見極めたい。エンジニアやコーポレートスタッフについては、これまでも殆どローテーションが無かったため、また、昇進も自ら手をあげさせる形に変更したいので、最終的には一般職についてもジョブ型を追求しようとしている。但し、組織として決定された業務を効率的にやることにはジョブ型が向いているが、一方で曖昧模糊とした、これからイノベーションを生み出していこうという業務には、テレワーク同様、ジョブ型は向かないと考えている。例えばイノベーションを生むことが役割である研究職等は、ジョブ型と職能型の複線型人事制度がふさわしいと考えている」【K社（製造（ソリューション等））】

反面、「ジョブ型」は確かにテレワークとの親和性が高いものの、これを導入していてもテレワークの利用は（週2日迄に）制限せざるを得ないとする、次のような声もきかれた。

「全員がそもそも（職務記述書に基づく）職務限定の完全職務給で採用・雇用されている（配置転換は原則無く、本部への異動など職種変更を希望する場合は、社内公募による契約変更という形になる）ため、社員間の役割分担が明確であり、テレワークに馴染みやすい環境に置かれている。また、5年前から『コアタイムレス』のフレックスタイム制を導入しており、労働時間管理を本人に委ねて久しい点も、テレワークに馴染むと考えている。更に、期初には具体的な目標を立ててもらい、その進捗やコンピテンシーの発揮状況を評価・管理するため、テレワークにすることで社員がサボるということは考え難く、むしろ在宅勤務で働き過ぎてしまわないかという懸念がある。他方、店舗勤務の社員のテレワークはやはり難しい。できても1日の報告レポートの作成のみ在宅勤務でといった程度。結果として、店舗運営を支援する本社でも100％在宅勤務はやはり難しく、週に3日程度は出社してもらう必要があると考えている。テレワークはある程度、定着するだろうが、要は『できる仕事は在宅勤務でやってもらっても構わない』程度ではないか」【E社（小売）】

[13] この点、当機構研究所長の濱口桂一郎は「ジョブ型を成果主義と結び付ける誤解が多く、おかしな議論が横行している」（2020年10/14産経新聞掲載）等と指摘している。

更に、「ジョブ型」にとどまらず、「契約形態」のあり方や「報酬」の支払い方を含めて、「自己裁量（自立した個）」を高める働き方を模索したいと展望する声も寄せられた。

「（ウィズコロナ・ポストコロナの働き方として）自己裁量（自立した個）を高める労働時間制への移行を検討している。具体的には、フレックスタイム制から企画型裁量労働制への移行や高度プロフェッショナル制度の導入、更に、工場ラインに残っている標準労働時間制についても、フレックスタイム制に移行できないか検討している。なお、これはデジタルトランスフォーメンション（DX）化という大きな流れの中で検討していることだが、新たな人事制度（ジョブ型、契約形態（雇用契約、委託契約等）、報酬の支払い方（市場プライス、期間支払型、退職金制度のあり方等））も模索していきたいと考えている」【B 社（製造（医薬品））】

なお、人事評価制度の抜本的な見直しは考えていないが、テレワークに伴い人事評価が行い難くなっている側面もあることから、次のような対応を検討しているとの報告もあった。

「労働組合からテレワークの制度関係で寄せられている要望事項は特段ないが、人事評価を巡っては懸念する声がある。また、在宅勤務中の経験を全社的にアンケートした結果、マネジメント層からもテレワーク下では職務行動評価（プロセス評価）を行い難いといった指摘が寄せられている。人事部門としては、在宅勤務に出社を組み合わせているので、職務行動評価（プロセス評価）がまったく出来ない環境ではないと考えているが、少なくとも不安な思いには応えられるよう、どのような観点に留意しながらプロセス評価を行って欲しいというようなガイドラインを、11 月にも示したいと考えている」【M 社（製造（食品））】

6. テレワークの拡大に伴う不公平感や格差に対する注意喚起

ここまでテレワーク経験で浮かび上がった課題に対し、どのような対応が行われつつあるかを概観してきたが、最後にテレワーク勤務者と「緊急事態宣言」下でも出社せざるを得なかった非対象者の間で、不公平感等の高まりがあったことを指摘する企業も見られた点に触れておきたい。それはオフィス勤務者と工場や店舗等の現場を担う現業勤務者の間の不公平感であり、また、オフィス勤務者間でも「郵便物や定期便を管理している総務」や「外部からアクセス不可の給与システムを取扱う人事・経理等」の出社率が高いといった不公平感である。

ヒアリング調査各社が直面している課題（**図表 12**）でも 6 社が該当すると回答したが、例えば次のような指摘がきかれた。

図表 15　職種別・業種別にみたテレワークの経験率

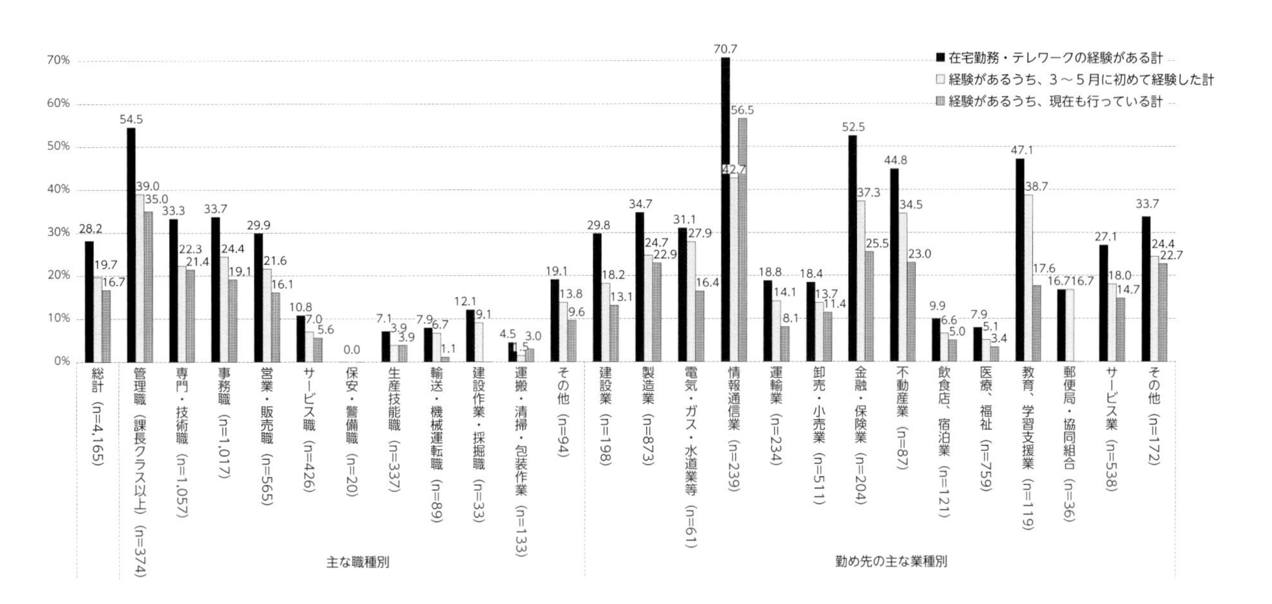

「コロナ禍による『緊急事態宣言』下で初めて、（テレワークを）事務職を中心とする本部に限定して導入したが、『顧客に対面で向き合って初めて商売が成り立つ』（業種の）ため、『店舗に勤務する私たちパート・アルバイトが、最前線で（感染リスクに晒されながら）頑張っている中で、本部勤務の正社員等だけが自宅にいるのか』といった批判も寄せられた」【D 社（飲食サービス）】

「工場をマネジメントする社員からは『自分達を置き去りにしているのではないか、本当に工場も見てくれているか』といった声も聞こえている。工場でも間接部門については未だ、テレワークを取り入れる余地もあるが、製造直接部門（ライン）はなかなか難しい。いわゆるオフィス勤務者と製造ライン等勤務者の間の、『テレワークできる職種・できない職種の間の不公平感』についてはなかなか対策が見当たらず、出口が見えない課題である」【M 社（製造（食品））】

テレワークを推奨したところで、（少なくとも現行の環境を前提にすれば）どうしても「出社しなければできない仕事」は現前として存在する。この点、12 月調査を基に、職種別・業種別のテレワーク経験率を算出すると**図表 15** の通りになった。

すなわち、これまでにテレワークの経験がある割合は、「管理職（課長クラス以上）」や「事務職」「専門・技術職」「営業・販売職」等の職種で高いのに対し、「サービス職」や「生産技能職」「輸送・機械運転職」「運搬・清掃・包装作業」「建設作業・採掘職」等では低い。また、「情報通信業」や「金融・保険業」「不動産業」「教育、学習支援業」等の業種で高い一方、「医療、福祉」や「飲食店、宿泊業」「郵便局・協同組合」「卸売・小売業」「運輸業」等といった、いわゆるエッセンシャルワーカーを含む現業の仕事では顕著に低くなっている。

そして、こうした「出社しなければできない仕事」には女性や非正社員、相対的に学歴が高くない層や所得水準の低い層等が従事しており、テレワークの拡大が新たな格差を生む恐れも危惧されている。

例えば小寺（2020）は、米国で「在宅勤務」が可能な仕事の割合を試算した先行研究を当て嵌めることで、理論上、わが国で可能な就業者数を3割程度と試算し、相対的にスキルや所得が低いほど「在宅勤務」が困難な職業に就いている傾向があること等を指摘した[14]。また、菊池・北尾・御子柴（2020）は総務省「就業構造基本調査」を用い、過去の経済危機とは異なり、人との接触を伴うサービス業等で影響が大きいとされる新型コロナウイルス感染症危機の影響を受けやすい労働者の割合や属性を特定し、「危機にもっとも脆弱なタイプ（Non-flexible and social)」は雇用者全体の約1/4を占め、女性、大卒未満、非正規雇用といった所得水準が相対的に低い層に集中していることなどを明らかにしている[15]。

そうしたなか、ヒアリング調査では、「緊急事態宣言」下の経験を通じ、次のような気付きがあったことも報告された。

「現場（4,000人弱）でテレワークを行っているのは50人程度にとどまるが、いないわけではない。65歳を超えて働く社員にとって、週に5日・フルタイム勤務は体力的にきつくても、週に1～2日のテレワークを挟めば大分、負担が軽減される。テレワークでも、品質管理や積算等の仕事は充分可能で現場も助かるため、そうした場面での活用は是非、推進したいと考えている」【A社（建設)】

「生産現場を担う技能職は、一部（例えば企画や評価・試験を行う社員）を除き対象外だが、今後も更なる拡大に向けて、労使で議論することにしている」【H労組（製造（自動車関連))】

「店舗勤務の正社員でも、会議や研修については業務用スマートフォンを活用した在宅勤務が可能なため、今後は積極的に推進していきたいと考えている」【D社（飲食サービス)】

新型コロナウイルス感染リスクに晒されながらも、出社しなければ収入が得られない仕事と、テレワークでも変わらぬ収入が得られる仕事の間には、確かに不公平感がある[16]。現業の仕事にもいかにテレワークを取り入れていくかについては引き続き、省力化や自動化の更なる進展とともに検討がなされるかも知れないが、エッセンシャルワーカーのように、

14　小寺信也（2020）「在宅勤務はどこまで進むか」（みずほインサイト）

15　Shinnosuke,KIKUCHI, Sagiri,KITAO, and Minamo, MIKOSHIBA（2020）「Heterogeneous Vulnerability to the COVID-19 Crisis and Implications for Inequality in Japan」（RIETI Discussion Paper Series 20-E-039）

16　新型コロナウイルス感染症の流行が深刻な地域を中心に、在宅勤務を実施していた労働者ほど収入や労働時間の減少幅が小さいことも示されている（石井加代子，中山真緒，山本勲（2020）「コロナ禍における在宅勤務の実施要因と所得や不安に対する影響」（JILPT Discussion Paper 20-SJ-01））。

社会生活の維持に不可欠な人材に対する安全配慮と、その貢献に見合う待遇のあり方を含め、重い課題が突き付けられたとも言えるだろう。

なお、テレワークを巡っては、コロナ禍による急拡大を受けて昨年8月に「これからのテレワークでの働き方に関する検討会」が設置され、12月に取り纏められた報告書を基に本年3月、「テレワークの適切な導入及び実施の推進のためのガイドライン」が策定された経緯がある[17]。その中でも、「一般にテレワークを実施することが難しい業種・職種であっても個別の業務によっては実施できる場合があり、管理職側の意識を変えることや、業務遂行の方法の見直しを検討することが望ましい」とされるとともに、「テレワークの対象者を選定するに当たっては、正規雇用労働者、非正規雇用労働者といった雇用形態の違いのみを理由としてテレワーク対象者から除外することのないよう留意する必要がある」ことが明記されている。

7. おわりに

新型コロナウイルス感染拡大に伴うテレワークについては、労使双方からも考え方が示され、日本経済団体連合会は「2021年版経営労働政策特別委員会報告」(本年1月公表)の中で、「テレワークはウィズコロナ・ポストコロナ時代の新しい働き方の重要な選択肢の一つではあるが、推進自体が目的化してはならない」として、出社とテレワークのベストミックスを検討する必要があると強調した。

また、日本労働組合総連合会は「テレワーク導入に向けた労働組合の取り組み方針」(2020年9月公表)の中で「今後、with/afterコロナを展望し、ニューノーマル(新しい生活様式)を実践していく中では、テレワークを新たな働き方として常態化する企業は増えていくものと考えられる」とし、「テレワークの運用にあたっては、適宜・適切に労使協議で必要な改善を行う」ことなどを提起している。

更に、テレワークを社会全体として見れば、「都市部への人口・機能の過度の集中による弊害の解消と地域活性化」等にも繋がることが期待されている。

海外に目を転じれば「テレワークの権利」化が活発化する一方で、「つながらない権利」にまで議論が及ぶ状況にあり、労使にとどまらず社会全体でメリットを享受できるような良質なテレワークに向けて、今後、どういった政策が求められるのか等を含め、当機構では引き続き、その動向を注視することにしている。

---

17 濱口桂一郎(2020)『新型コロナウイルスと労働政策の未来』(労働政策研究・研修機構)に詳しい。

参考文献

石井加代子・中山真緒・山本勲（2020）「コロナ禍における在宅勤務の実施要因と所得や不安に対する影響」JILPT ディスカッションペーパー 20-SJ-01.

厚生労働省（2020）「「これからのテレワークでの働き方に関する検討会」報告書」（令和 2 年 12 月 25 日）.

厚生労働省（2021）「テレワークの適切な導入及び実施の推進のためのガイドライン」（令和 3 年 3 月 25 日）.

小寺信也（2020）「在宅勤務はどこまで進むか」みずほインサイト .

総務省「テレワークにおけるセキュリティ確保」
https://www.soumu.go.jp/main_sosiki/cybersecurity/telework/

高見具広（2020）「在宅勤務は誰に定着しているのか――『緊急時』を経た変化を読む」JILPT リサーチアイ第 46 回 . https://www.jil.go.jp/researcheye/bn/046_200916.html

高見具広（2021）「緊急事態宣言（2020 年 4 ～ 5 月）下の在宅勤務の検証」JILPT ディスカッションペーパー 21-01.

東京商工会議所（2020）「テレワークの実施状況に関するアンケート」調査結果 .

中井雅之（2020a）「JILPT 新型コロナウイルス感染症が企業経営に及ぼす影響に関する調査【6 月調査】（一次集計）結果」（連続パネル企業調査）. https://www.jil.go.jp/press/documents/20200716.pdf

中井雅之（2020b）「JILPT 新型コロナウイルス感染症が企業経営に及ぼす影響に関する調査【10 月調査】（一次集計）結果」（連続パネル企業調査）. https://www.jil.go.jp/press/documents/20201216.pdf

中井雅之（2021）「JILPT 新型コロナウイルス感染症が企業経営に及ぼす影響に関する調査【2 月調査】（一次集計）結果（連続パネル企業調査）. https://www.jil.go.jp/press/documents/20210430b.pdf

日本経済団体連合会（2021）「2021 年版 経営労働政策特別委員会報告」.

日本労働組合総連合会（2020）「テレワーク導入に向けた労働組合の取り組み方針」.

濱口桂一郎（2020a）『新型コロナウイルスと労働政策の未来』労働政策研究・研修機構 .

濱口桂一郎（2020b）「間違いだらけの「ジョブ型」議論､成果主義ではない」産経新聞 2020 年 10 月 14 日付 .

森健（2020）「新型コロナウイルスと世界 8 か国におけるテレワーク利用～テレワークから『フレックスプレイス』制へ」野村総合研究所レポート .

柳原佐智子（2019）「日本におけるテレワークの現状と今後――人間と ICT との共存はどうあるべきか」『日本労働研究雑誌』No.709, pp.16-27.

連合総合開発研究所（2020）「第 39 回連合総研「勤労者短観」新型コロナウイルス感染症関連緊急報告」.

渡邊木綿子（2020a）「JILPT 新型コロナウイルス感染拡大の仕事や生活への影響に関する調査（JILPT 第 1 回）【5 月調査】（一次集計）結果」（連続パネル個人調査）.
https://www.jil.go.jp/press/documents/20200610.pdf

渡邊木綿子（2020b）「JILPT 新型コロナウイルス感染拡大の仕事や生活への影響に関する調査（JILPT 第 2 回）【8 月調査】（一次集計）結果」（連続パネル個人調査）.
https://www.jil.go.jp/press/documents/20200826.pdf

渡邊木綿子（2021a）「JILPT 新型コロナウイルス感染拡大の仕事や生活への影響に関する調査（JILPT 第 3 回）【12 月調査】（一次集計）結果」（連続パネル個人調査）.
https://www.jil.go.jp/press/documents/20210118.pdf

渡邊木綿子（2021b）「JILPT 新型コロナウイルス感染拡大の仕事や生活への影響に関する調査（JILPT 第 4 回）【3 月調査】（一次集計）結果」（連続パネル個人調査）．
https://www.jil.go.jp/press/documents/20210430a.pdf

Kikuchi, Shinnosuke, Sagiri Kitao and Minamo Mikoshiba（2020）“Heterogeneous Vulnerability to the COVID-19 Crisis and Implications for Inequality in Japan” RIETI Discussion Paper Series 20-E-039.

テレワーク

コロナ禍における政労使の取組

2021 年 6 月　第 1 刷発行

編集・発行　独立行政法人労働政策研究・研修機構

〒 177-8502 東京都練馬区上石神井 4-8-23

（編集）研究調整部 広報企画課 TEL 03-5903-6251

（販売）研究調整部 成果普及課 TEL 03-5903-6263

印刷・製本　株式会社コンポーズ・ユニ

ISBN978-4-538-53002-4

Printed in Japan